Dr. Franz Wagner

TABLA DE REFLEXOLOGÍA

CÓMO TRATAR SUAVEMENTE LAS DOLENCIAS Y MOLESTIAS MÁS HABITUALES

INDICACIONES SENCILLAS Y CONCRETAS PARA AUTOMASAJES
Y MASAJES EN PAREJA

ÍNDICE

ÍNDICE

PRÓLOGO

En un principio, el masaje estimulante de los pies era algo completamente natural, simplemente por el hecho de que nuestros antepasados caminaban descalzos.

En la actualidad, hemos descubierto que el masaje de las zonas reflejas se puede efectuar de forma muy precisa y eficaz.

El masaje de las zonas reflejas es ideal para la relajación y la regeneración. Resulta un medio excelente para aumentar nuestra energía vital y activar nuestra capacidad de autocuración. Además, nos permite aumentar a discreción la salud y el bienestar. Esto hace que la reflexología se emplee cada vez más para aliviar y curar muchas de las molestias y dolencias de la vida cotidiana.

Esta guía le mostrará exactamente en qué consiste el masaje de las zonas reflejas. Aprenderá todo lo necesario para aplicar estas técnicas tanto en usted mismo como en los demás. En la sección de dolencias, encontrará indicaciones concretas para dar masajes con funciones específicas en determinadas partes de los pies. Si desea emplear el masaje de las zonas reflejas como terapia complementaria en un tratamiento convencional, consulte antes a su médico.

Este libro pretende ser una ayuda para aquellas personas que son conscientes de lo que significa apoyarse sobre sus propios pies y que desean mejorar su bienestar y su salud.

Franz Wagner

MASAJES PARA MEJORAR LA SALUD

El origen del masaje de las zonas reflejas se remonta a miles de años, y parte de numerosas culturas de la antigüedad. Encontramos referencias a las zonas reflejas de los pies tanto en Extremo Oriente como en la cultura incaica y en la antigua Roma. Los primeros documentos europeos en los que se menciona este tipo de masaje datan del siglo XVI.

El sistema zonal (ver a partir de la página 7) vigente en la actualidad fue desarrollado a principios del siglo XX por el médico norteamericano Dr. Fitzgerald (1872-1942). Éste describió el cuerpo humano en diez zonas dispuestas simétricamente desde el cráneo hasta las plantas de los pies, y consideró que cada acción que se ejerce sobre una de estas zonas genera una respuesta energética en los órganos y partes del cuerpo correspondientes.

Actualmente, son cada vez más los médicos, masajistas, fisioterapeutas y practicantes que emplean el masaje de las zonas reflejas para prevenir enfermedades o para aliviar las dolencias de sus pacientes.

CURACIÓN NATURAL MEDIANTE EL MASAJE DE LAS ZONAS REFLEJAS

Hoy en día, el masaje de las zonas reflejas es cada vez más popular y está considerado como una de las terapias naturales más eficaces. Actúa principalmente mediante la energía de autocuración del propio organismo y ayuda a equilibrar las cargas y las alteraciones energéticas. De hecho, la salud no es una situación estable del organismo, sino un estado sometido a constantes cambios, movimientos y desarrollos. Y el masaje también puede participar en ello.

Por lo tanto, el masaje de las zonas reflejas no es un procedimiento mecánico. Al igual que los demás tipos de masajes, tendrá que estar ligado a una intensa implicación personal, y deberá tener en cuenta las características personales de quien lo recibe.

Al tratar las zonas reflejas, se masajean los pies de forma estimulante o relajante, y los impulsos así generados se encargan de activar la autorregulación del organismo. De este modo, se eliminan los bloqueos energéticos, y a la vez se compensan los estados de falta de armonía que pueden surgir cuando el flujo natural de la energía vital se ve alterado por factores externos tales como el estrés o las enfermedades.

Los pies. Símbolo de movimiento y desarrollo

El masaje de las zonas reflejas también se puede aplicar en las manos, pero generalmente se trabaja con los pies. Los pies y las piernas simbolizan el principio de la movilidad y la locomoción del ser humano. Los pies nos permiten desplazarnos y nos llevan por la vida. Ninguna otra parte del cuerpo es tan articulada como el pie: las más de 50 articulaciones que poseemos en ambos pies les proporcionan una gran movilidad.

Los pies son muy sensibles a los impulsos energéticos, por lo que el masaje de las zonas reflejas de los pies provoca una cierta actividad tanto a nivel físico como psíquico y anímico.

¡Funciona! pero ¿cómo?

Existen algunas teorías, basadas principalmente en la experiencia, acerca de cómo actúa el masaje de las zonas reflejas. Pero falta una explicación científica coherente. Si fuésemos capaces de explicar cómo se produce el efecto del masaje de las zonas reflejas, posiblemente también estaríamos en condiciones de saber cómo «funciona» la propia vida.

Actualmente, se consideran anticuadas las explicaciones meramente mecánicas, como por ejemplo la eliminación de acumulaciones de sustancias mediante el masaje de las zonas. Tampoco es posible explicar los resultados como actos reflejos al actuar sobre las terminaciones nerviosas de los pies.

Hoy nos inclinamos a creer que las vías energéticas del organismo están representadas en el pie. Al aplicar el masaje en unos puntos determinados, se generan unos impulsos que activan una energía reguladora central. Así, el organismo puede compensar mejor las alteraciones y sobrecargas energéticas, con lo que el cuerpo se relaja y recupera su equilibrio –condición fundamental para los procesos curativos–.

Aunque sigamos sin comprender bien el funcionamiento de estos mecanismos, lo que sí está claro es que el masaje de las zonas reflejas resulta efectivo –y esto es algo que cualquiera puede comprobar–.

EL CONCEPTO ZONAL:
REFLEJO DEL ORGANISMO HUMANO EN EL PIE

En el masaje de las zonas reflejas, se considera los pies como el reflejo energético del ser humano. Son como un mapa en el que se muestra el estado energético de la persona. Existen cinco zonas longitudinales y tres transversales. Para comprender mejor la ubicación de las zonas reflejas, podemos imaginarnos una representación del cuerpo a escala reducida en los pies (ver ilustración de la página 8). Para ello, hay que partir de los siguientes principios:

➤ La representación energética total se obtiene juntando ambos pies.

➤ La parte derecha del cuerpo está representada en las zonas del pie derecho, y la izquierda en las del pie izquierdo.

➤ Los órganos situados en la zona central del cuerpo –como la columna vertebral o la vesícula– se localizan en zonas de la cara interna de ambos pies.

➤ Los órganos pares –como los riñones, los pulmones o los ovarios– se localizan en zonas de ambos pies.

➤ Los órganos situados en un lado del cuerpo –como el hígado–, se reflejan en zonas del pie correspondiente.

➤ Las zonas reflejas son una representación energética de cada órgano. Estas zonas son planas y no tienen una delimitación muy estricta. Según la forma del pie de cada persona, pueden diferir ligeramente de las de los esquemas. Algunas zonas se solapan entre sí.

Al aplicar el masaje, concéntrese siempre en las zonas que desee estimular.

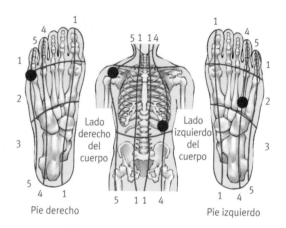

Pie derecho   Pie izquierdo

En el esquema del cuerpo, vemos que la articulación del hombro derecho está situada en la 5ª zona longitudinal, en el límite entre las zonas transversales 1 y 2. Por lo tanto, la zona refleja del hombro derecho estará ubicada en la articulación de la base del dedo meñique del pie derecho. Del mismo modo, el bazo estará en la confluencia de la 4ª zona longitudinal y la 2ª transversal.

LA PRÁCTICA DEL MASAJE DE LAS ZONAS REFLEJAS DEL PIE

Ahora que ya sabe cuáles son los principios básicos del masaje de las zonas reflejas, es el momento de que empiece a practicarlo con sus propias manos. En las siguientes páginas se describe con precisión la forma de dar masaje correctamente en las zonas reflejas de los pies –tanto en los propios como en los de otra persona–, y cuándo es preferible prescindir del masaje.

EN BUENAS MANOS: LA APLICACIÓN DEL MASAJE

Para que el masaje de las zonas reflejas resulte eficaz, es necesario tener unas manos sensibles y perceptivas. Mantenga las manos siempre en contacto con los pies y haga que la otra persona –o usted mismo– note que está en buenas manos. Las cuatro formas principales de aplicar el masaje alternan, de forma natural, la tensión y la relajación, la fase activa y la pasiva. El impulso rítmico del masaje parte del centro de la mano y se proyecta por los pulgares hacia las zonas de aplicación.

Masaje de activación

Para dar el masaje de activación o de excitación, han de efectuarse movimientos uniformes, ondulatorios y dinámicos. Esto potencia, fortalece y armoniza las energías. El pulgar palpa los tejidos del pie –fase activa– y luego se desliza desplazándose relajadamente hacia atrás –fase pasiva–.

Masaje sedante

El masaje tranquilizante o de sedación solamente suele aplicarse en zonas que reaccionan de forma dolorosa, es decir, en las que se produce un bloqueo energético. En estos casos, palpe la zona dolorida con la punta del pulgar. Ejerza una presión algo intensa y a la vez uniforme hasta que el dolor de la zona desaparezca por completo y solamente se perciba la presión del dedo. Pero ejer-
za una presión que permita que el pie pueda seguir reposando de forma relajada.

SUGERENCIA

Si el dolor se mantiene constante o regresa a oleadas, interrumpa el masaje de sedación. Active esa zona cuatro o cinco veces con un masaje de activación y luego vuelva a aplicar un masaje de sedación con la punta del dedo pulgar.

Masajes de relajación

Los masajes de relajación son tranquilizantes. Se aplican al inicio de la sesión, intercalados en ésta y como colofón.

➤ *Masaje de relajación en la zona del plexo solar.* Apoye las puntas de ambos pulgares en las zonas indicadas y ejerza una suave presión. A continuación, manténgalos en esa posición durante unos cinco minutos.

➤ *Fricción relajante de los pies.* Friccione con una mano la cara interna del pie desde el dedo gordo hasta la pantorrilla pasando por el tobillo. Al mismo tiempo, friccione con la otra mano la cara externa del pie desde la pantorrilla hacia el meñique. Así, en la parte interna del cuerpo, fluirá la energía desde los pies hacia la cabeza, y en la parte externa fluirá de la cabeza a los pies.

Masajes especiales

Los masajes especiales se aplican en zonas determinadas, como por ejemplo para regular la presión sanguínea. Los describiremos cuando hablemos del tratamiento de los síntomas de las dolencias –a partir de la página 18–.

TRATAMIENTO DE UNO MISMO Y DE OTRA PERSONA

El masaje de las zonas reflejas de los pies puede aplicárselo uno mismo o a otra persona. Si le es posible, deje que sea otra persona quien le dé el masaje.

Autotratamiento

Si se da el masaje a usted mismo, se perderá una parte de la relajación que lleva implícita, pero en principio es igual de eficaz. El único problema es que se le cansará la mano de tanto mantenerla en posiciones tensas y tendrá que hacer algunas pausas.

Procure que alguien le dé masaje en las zonas reflejas de los pies por lo menos una vez al mes. Cuando se lo dé usted mismo, siéntese cómodamente y apoye el pie sobre la rodilla. Pero procure que la parte interna de la articulación de la rodilla no esté sometida a una tensión excesiva.

Masaje por otra persona

Recibir un masaje dado por otra persona tiene la ventaja de que se produce un constante intercambio energético. De esta manera, el flujo de energías alcanza más fácilmente su equilibrio. Además, la persona que recibe el masaje puede disfrutar de él mucho más relajadamente. Es importante que las personas se miren mutuamente durante el masaje. Eso estimula la confianza y permite aclarar fácilmente cualquier duda que surja durante el masaje. Además, la persona que da el masaje podrá apreciar inmediatamente las expresiones de dolor del otro en caso de que algún movimiento llegue a hacerle daño.

Así se da correctamente el masaje

- No vaya nunca con prisas. Hágalo en una habitación cálida, bien ventilada y tranquila, procurando crear un ambiente acogedor y relajado.
- La persona que va a recibir el masaje deberá estar cómodamente sentada o acostada, y llevará ropa holgada y cómoda.
- Prescinda de accesorios tales como rodillos o varillas. Emplee solamente sus manos, ya que éstas representan la relación humana.
- No emplee aceites o cremas para masajes ni antes ni durante el masaje de las zonas reflejas. Estos productos disminuyen el contacto del pulgar con la piel y no permiten notar cuándo se humedece el pie.
- En los adultos basta con un masaje a la semana. A los niños hay que dárselos con tranquilidad siempre que lo pidan.
- En el caso de dolencias agudas, puede ser necesario masajear la zona afectada con más frecuencia, como en el caso de ataques de tos o de dolores menstruales.
- Después de dar el masaje, mantenga sus manos bajo un chorro de agua fría para limpiar y neutralizar sus energías.

Posibles reacciones al masaje

El masaje de las zonas reflejas produce un efecto muy amplio, por lo que es normal que se experimenten reacciones tanto en el plano físico como en el psíquico y el emocional. Generalmente, se percibe el masaje como una experiencia agradable y relajante. Pero también es posible que la persona que recibe el masaje experimente un contacto más profundo con su mundo sensorial y que éste le haga reír o llorar. Déjelo fluir y aplique el masaje relajante sobre el plexo solar –ver página 10–. Si, durante el masaje de las zonas reflejas del pie, se nota una reacción dolorosa en determinadas zonas, entonces emplee el masaje sedante –ver página 10–.

Reacciones normales

Si el masaje produce las siguientes reacciones, se trata de reacciones normales del organismo que indican que éste está aumentando su eliminación de toxinas:

- Mejora la irrigación de la piel, los pies se notan más calientes. A veces incluso se produce una breve sudoración.
- Algunas mucosas aumentan su secreción a consecuencia del masaje, lo cual puede producir incluso algunos estornudos.
- La persona que recibe el masaje orina en mayor cantidad y también nota una mejoría en su función intestinal.

Tenga esto en cuenta: el dolor de las zonas es síntoma de una sobrecarga energética. De todas maneras, no es serio basarse solamente en esto para formular un diagnóstico. Si, después de seis masajes, sigue apareciendo ese dolor es imprescindible someterse a un examen médico.

Si, durante el masaje, nota que el pie se humedece, es señal de que se ha alcanzado el primer límite de la carga. En este caso, hay que seguir dando un masaje relajante o sedante –ver a partir de la página 10–.

Después de recibir el masaje, la mayoría de las personas se sienten frescas, activas y llenas de vitalidad, pero en algunos casos también pueden sentirse cansadas.

Como masajista, deberá tener siempre muy en cuenta su predisposición personal hacia el masaje: su función consiste exclusivamente en masajear de forma correcta las zonas reflejas.

Si nota cansancio en las manos o le vienen ganas de bostezar mientras está dando el masaje, sacuda las manos, inspire profundamente o beba un vaso de agua fresca.

Límites del tratamiento

El masaje de las zonas reflejas es apropiado para cualquiera que desee hacer algo positivo para su salud, ya que esta terapia también alivia muchas enfermedades y molestias cotidianas. Si va a seguir un tratamiento médico, consulte a su especialista si puede complementarlo con el masaje de las zonas reflejas.

El masaje de las zonas reflejas no deberá aplicarse en el caso de:

➤ infecciones graves y enfermedades acompañadas de fiebre alta,
➤ infecciones de los sistemas cardiovascular y linfático,
➤ enfermedades que requieran una intervención quirúrgica,
➤ fracturas, enfermedades y lesiones de los pies que imposibiliten el masaje de las zonas reflejas, como varices o pie de atleta,
➤ estados depresivos profundos que requieran medicación,
➤ embarazos de riesgo –durante un embarazo normal, se pueden dar masajes en las zonas reflejas, pero evitando las de la pelvis–,
➤ personas que lleven un marcapasos: el masaje solamente podrá darlo un especialista cualificado,
➤ cáncer. En principio, ¡nunca hay que dar masaje en las zonas reflejas a un enfermo de cáncer! Sólo el médico podrá decidir si lo emplea como terapia complementaria.

MASAJE INTEGRAL DE LAS ZONAS CORRESPONDIENTES A LOS ÓRGANOS

Para dar un masaje integral de las zonas reflejas, necesitará aproximadamente una hora. Emplee la fricción de los pies para establecer una sensación de confianza con la otra persona. Deje que, desde el primer momento, note que está en buenas manos. Al aplicar un masaje integral completo, se tratan las zonas reflejas siguiendo la secuencia descrita a continuación:

1. **Zonas de la columna vertebral**
2. **Zonas de la musculatura y las articulaciones**
   Muslo
   Pecho
   Vientre
   Articulación del hombro
   Articulaciones de codo y rodilla
   Articulación de la cadera
3. **Zonas de la cabeza**
   Boca, nariz y garganta
   Cerebro
   Ojos y orejas
   Hipófisis
   Senos frontales y paranasales
   Nuca y cintura escapular
4. **Zonas de las vías linfáticas superiores**
5. **Zonas de los órganos respiratorios**
   Bronquios
   Pulmones
   Pleura
6. **Zona del corazón**
7. **Zona del plexo solar**
8. **Zonas del aparato digestivo**
   Esófago
   Estómago
   Duodeno
   Páncreas
   Hígado
   Vesícula biliar
   Intestino delgado
   Intestino grueso
   Recto y ano
9. **Zonas del aparato urinario**
   Riñones
   Vejiga
10. **Zonas del sistema linfático**
    Amígdalas
    Apéndice
    Bazo
    Región pelviana y abdominal
11. **Zonas del sistema endocrino**
    Hipófisis
    Tiroides
    Páncreas
    Cápsulas suprarrenales
    Ovarios/testículos
    Matriz/próstata
12. **Final del masaje mediante una fricción energética**

 ADVERTENCIA

Empiece siempre con una toma de contacto suave y acabe el masaje con movimientos relajantes y sedantes.

PROGRAMA DE BIENESTAR Y RELAJACIÓN

Si usted no dispone del tiempo necesario para dar un masaje integral como el descrito en la página 15, siempre podrá emplear esta variante abreviada para proporcionar en cualquier momento una sensación de bienestar y de relajación. Al cabo de pocos minutos, ya notará cómo desaparecen las tensiones. Aplicar regularmente esta variante abreviada es la mejor forma de combatir el estrés y los efectos nocivos que éste implica.

Así se hace

➤ Tome contacto con los pies. Empiece el masaje con fricciones suaves y «jugando» con las articulaciones del pie y de los dedos. Procure que la persona que recibe el masaje se sienta a gusto y relajada.

➤ Empiece por masajear las zonas correspondientes a la columna vertebral: primero en el pie derecho y luego en el izquierdo. Friccione activamente estas zonas durante unos cinco minutos. Si al frotar una zona se produce una reacción dolorosa, aplique un masaje sedante sobre ella –ver página 10–.

➤ Pase ahora a dar un masaje relajante sobre las zonas del plexo solar –ver página 17–. El masaje de estas zonas ayuda mucho a armonizar las funciones vegetativas del organismo. Ejerza una suave presión sobre estas zonas por lo menos durante cinco minutos, y luego abandone lentamente el contacto con los pies.

➤ A continuación, friccione algunas veces lenta y suavemente, a lo largo de la pierna, las zonas linfáticas de la pelvis, primero en el pie derecho y luego en el izquierdo –ver página 17–. Tómese unos cinco minutos para ello.

➤ Finalice la sesión de relajación con un masaje de fricción: masajee simultáneamente con ambas manos en sentidos opuestos –ver página 17–.

Después de una sensitiva toma de contacto con los pies, masajee las zonas correspondientes a la columna vertebral y acabe concentrando el masaje relajante en la zona del plexo solar. Frote suavemente sobre las zonas linfáticas de la pelvis y la cavidad abdominal, y finalice la sesión friccionando suavemente los pies.

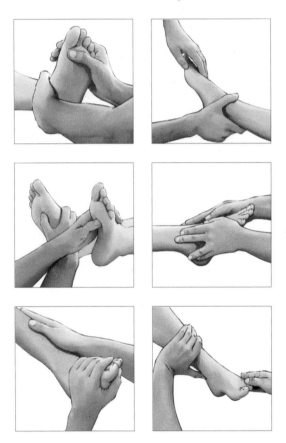

ALTERACIONES DEL SUEÑO

Según las estadísticas, prácticamente todos los habitantes de Europa sufren en algún momento alteraciones del sueño.

Si existen ruidos, se altera el ritmo habitual de sueño–vigilia o se cambia de entorno, es normal que se tengan dificultades transitorias para conciliar el sueño o para dormir con normalidad. Sin embargo, si las alteraciones del sueño se mantienen a largo plazo, hay que tomarse el asunto muy en serio.

Unas de las causas más frecuentes son las de índole psíquica, como preocupaciones, angustias, enfados o estados depresivos. También existen factores físicos que pueden alterar el sueño, como dolores, tos, o necesidad de orinar con frecuencia. A veces, el abuso de la comida, la bebida o el tabaco también pueden hacer que cueste más conciliar el sueño o que resulte difícil dormir con placidez.

Lo mejor es realizar el masaje de las zonas reflejas inmediatamente antes de irse a dormir. Mucha gente ya se duerme durante el masaje relajante del plexo solar.

Así se hace

➤ Tome contacto con los pies y empiece el masaje con movimientos suaves y sensitivos.

➤ Masajee los tejidos del pie ejerciendo una ligera presión, y afloje suavemente sus articulaciones.

➤ Masajee las zonas de la columna vertebral activándolas de forma suave y dinámica: primero en el pie derecho y luego en el izquierdo. Si localiza alguna zona dolorosa, aplíquele solamente el masaje sedante –ver página 10–.

➤ Seguidamente, active con suavidad las zonas de la cabeza localizadas en los dedos de los pies: primero en el derecho y luego en el izquierdo.

➤ Tómese algunos minutos para masajear a fondo las yemas de los dedos de los pies. Puede hacerlo con ambas manos a la vez.

➤ A continuación, aplique el masaje relajante de las zonas del plexo solar –ver página 10– simultáneamente en ambos pies. Aumente ligeramente la presión cuando la persona que recibe el masaje inspire, y disminúyala cuando espire. Esta técnica ayuda a regularizar el ritmo

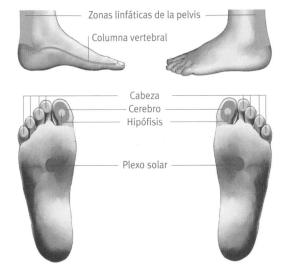

Zonas linfáticas de la pelvis
Columna vertebral
Cabeza
Cerebro
Hipófisis
Plexo solar

A

respiratorio, y a la vez es muy relajante. Al cabo de algunos minutos, aparte lentamente las manos.

➤ Masajee las zonas linfáticas de la pelvis y de la cavidad abdominal. Friccione varias veces las piernas suavemente hacia los tobillos: primero la derecha y luego la izquierda –ver página 17–. Procure que la superficie de contacto de las manos con la piel sea lo más amplia posible.

➤ Para finalizar, friccione los pies: hacia arriba por el lado interior y hacia abajo por el exterior.

ALTERACIONES HORMONALES

Las hormonas son sustancias propias del organismo cuya función es transmitir información. Son producidas por las glándulas situadas en diversos sistemas de órganos, y se distribuyen por el torrente sanguíneo. La sangre hace que las hormonas lleguen a las células receptoras encargadas de descodificar la información de que son portadoras.

Las alteraciones hormonales pueden causar problemas en el sistema endocrino, disfunciones de la glándula tiroides y de los ovarios, alteraciones del crecimiento, problemas de erección, dolores de cabeza o aumento de peso. En muchos casos, también desempeñan un papel importante los problemas psíquicos y el estrés.

Masajear frecuentemente las zonas reflejas ayuda a normalizar el control hormonal del organismo.

Así se hace

➤ Tome contacto con los pies y empiece el masaje con movimientos suaves y sensitivos.

➤ Masajee las zonas de la columna vertebral de forma suave y dinámica, primero en el pie derecho y luego en el izquierdo. Si localiza alguna zona dolorosa, aplíquele solamente el masaje sedante –ver página 10–.

➤ Active, seguidamente, las zonas de la cavidad torácica y de la cavidad abdominal, primero en el pie derecho y luego en el izquierdo.

➤ Active las zonas de la hipófisis y del cerebro en los pulgares de ambos pies, y las zonas de la cabeza en los demás dedos. Puede masajear simultáneamente los dos pies con ambas manos.

➤ Active las zonas de ambos pies correspondientes a la glándula tiroides, a las suprarrenales y al páncreas. Seguidamente, active también la zona del bazo en el pie izquierdo.

➤ Active suavemente las zonas de los ovarios y la matriz, trabajando desde la cara externa del tobillo hacia la interna.

➤ Dé un masaje relajante en las zonas del plexo solar de ambos pies –ver página 10–. Presione suavemente estas zonas durante algunos minutos, y luego suéltelas lentamente.

➤ Masajee, finalmente, las zonas linfáticas de la pelvis y de la cavidad abdominal. Friccione las piernas algunas veces suavemente hacia

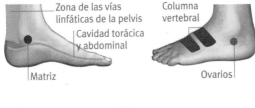

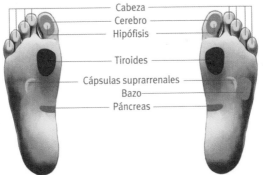

los tobillos, primero en el derecho y luego en el izquierdo –ver página 17–. Procure que la superficie de contacto entre sus manos y la piel sea bastante amplia.

➤ Para finalizar, friccione los pies: hacia arriba por el lado interno y hacia abajo por el externo.

ARTROSIS Y ARTRITIS

La artrosis es una enfermedad de las articulaciones que, generalmente, afecta a las rodillas y las caderas. La progresiva degradación del cartílago y el endurecimiento de los tejidos hacen que los movimientos sean cada vez más dolorosos y dificulten la locomoción de la persona. En los estados más avanzados, se puede perder la funcionalidad de la articulación. Frecuentemente, la artrosis se produce a consecuencia de una sobrecarga de las articulaciones, por la realización de un trabajo que exige mucho esfuerzo, el abuso del deporte o el sobrepeso.

Los primeros síntomas de la artritis –inflamación de las articulaciones– son unos dolores articulares agudos o permanentes. La artritis puede degenerar en un anquilosamiento de las articulaciones. El masaje de las zonas reflejas suele ayudar a retrasar el proceso degenerativo y puede aliviar los dolores agudos –ver también dolores de las articulaciones, página 44–.

Cuando esta enfermedad se convierte en crónica, el proceso infeccioso afecta profundamente al organismo. En este caso, se puede alternar esta aplicación y la de fortalecimiento del sistema inmunitario –ver página 80– para estimular el sistema excretor.

Así se hace

➤ Tome contacto con los pies e inicie el masaje con movimientos suaves y sensitivos.
➤ Masajee las zonas correspondientes a la columna vertebral. Empiece por activar suave y dinámicamente las zonas del pie derecho y pase luego a las del izquierdo.
  Si localiza alguna zona que produce dolor, aplíquele un masaje sedante para calmarlo –ver página 10–.
➤ Active las zonas de las articulaciones de los hombros, de los codos y de las rodillas empezando por el pie derecho y siguiendo luego por el izquierdo.
  Si una zona reacciona de forma dolorosa –lo cual es frecuente en el caso de infecciones agudas–, entonces pase a dar un masaje relajante –ver página 10–. Calme esa zona hasta que el dolor desaparezca por completo.

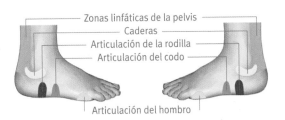

➤ Las zonas correspondientes a las articulaciones de codos y rodillas pueden masajearse simultáneamente en el pie derecho y en el izquierdo.

➤ Friccione aplicando una suave presión sobre las zonas de la parte exterior del tobillo correspondientes a las articulaciones de las caderas –ver página 10–.

➤ Masajee a continuación las zonas linfáticas correspondientes a la pelvis y a la cavidad abdominal. Aplique un masaje suave y rítmico desde la pierna hacia el tobillo: primero en el derecho y luego en el izquierdo –ver página 17–. Procure que exista un amplio contacto entre su mano y el pie.

➤ A continuación, aplique simultáneamente en ambos pies el masaje relajante para las zonas reflejas del plexo solar –ver página 10–. Siga presionando suavemente estas zonas durante unos minutos y luego suéltelas lentamente.

➤ Para finalizar, friccione ambos pies: hacia arriba por la parte interna y hacia abajo por la externa.

A

ASMA Y PROBLEMAS RESPIRATORIOS

La alternancia rítmica de inspiración y espiración infunde vida y simboliza el intercambio de dar y recibir. En muchas lenguas se emplea el mismo vocablo para expresar respiración, alma, espíritu o vida. Poder respirar libremente es una de las condiciones básicas para que no se entorpezca el flujo energético en el organismo.

El polvo, el polen y el pelo de los animales, junto con algunos aromas, el humo de los cigarrillos y el agotamiento físico, son algunos de los factores que pueden provocar molestias respiratorias e incluso asma.

Los principales síntomas del asma bronquial son el aumento de la frecuencia respiratoria y, ocasionalmente, la insuficiencia respiratoria.

Los estímulos sedantes del masaje de las zonas reflejas relajan la musculatura de los bronquios y facilitan la respiración.

Así se hace

➤ Tome contacto con los pies e inicie el masaje con movimientos suaves y sensitivos.

➤ Masajee las zonas correspondientes a la columna vertebral. Empiece por activar de forma suave y dinámica las zonas correspondientes a la columna vertebral: primero en el pie derecho y luego en el izquierdo. Si alguna zona produce dolor, apliquéle un masaje sedante para calmarlo –ver página 10–.

➤ Trabaje con el pulgar y el índice los pliegues cutáneos situados entre los dedos para activar así las zonas correspondientes a las vías linfáticas superiores.

➤ Masajee de forma relajante –ver página 10– las zonas correspondientes a los bronquios, situadas en los surcos del empeine, así como las zonas de los pulmones.

➤ En caso de ataques de asma o accesos de tos agudos, aplique este masaje especial: presione con fuerza las yemas de sus dedos contra las zonas correspondientes a las vías respiratorias hasta conseguir que desaparezca el dolor.

➤ A continuación, aplique un masaje relajante simultáneamente en las zonas reflejas del plexo solar –ver página 10– en ambos pies. Aumente la presión cuando la persona que recibe el masaje inspire, y relájela cuando espire. Esta técnica potencia el efecto relajante en la

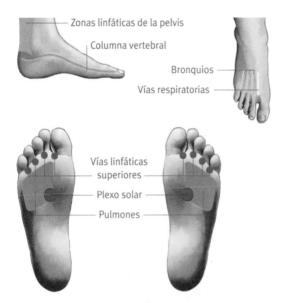

Zonas linfáticas de la pelvis

Columna vertebral

Bronquios

Vías respiratorias

Vías linfáticas superiores

Plexo solar

Pulmones

A

zona del pecho. Pasados unos minutos, deje lentamente el contacto con los pies.

➤ Finalmente, masajee las zonas linfáticas de la pelvis y de la cavidad abdominal. Friccione algunas veces rítmica y suavemente desde la pierna hacia el tobillo: primero el derecho y luego el izquierdo –ver página 17–. Procure que sus manos estén muy en contacto con los pies.

➤ Para finalizar, friccione ambos pies: hacia arriba por la cara interna y hacia abajo por la externa.

BRONQUITIS

La bronquitis es una infección aguda de los bronquios. Suele presentarse a continuación de una gripe o un resfriado de origen vírico, y su aparición se ve favorecida por factores externos tales como el humo de tabaco, aire frío y húmedo, y la contaminación ambiental. El primer síntoma es una tos sonora y generalmente dolorosa. Las vías respiratorias se muestran muy sensibles y segregan abundante mucosidad. Puede ir acompañada de fiebre, fatiga y malestar general. El masaje de las zonas reflejas actúa como expectorante y ayuda a calmar la tos.

ADVERTENCIA

Al inicio de la bronquitis –y sólo entonces– se pueden activar las zonas de los bronquios para mejorar la secreción de mucosidad. Si nota dolor en el pecho, aplique solamente el masaje sedante –ver página 10–.

Así se hace

- ➤ Tome contacto con los pies y empiece el masaje con movimientos suaves y sensitivos.
- ➤ Masajee las zonas de la columna vertebral activándolas de forma suave y dinámica, primero en el pie derecho y luego en el izquierdo. Si localiza una zona dolorosa, aplíquele un masaje sedante –ver página 10–.
- ➤ Active las zonas de las vías linfáticas superiores pinzando suavemente con el pulgar y el índice los pliegues cutáneos que hay entre los dedos de los pies.
- ➤ Masajee seguidamente las zonas de los bronquios y de las vías respiratorias en las hendiduras de los huesos del empeine. Aplique un masaje activador sólo si la bronquitis está en su fase inicial. Si la bronquitis ya se ha agudizado, aplique exclusivamente un masaje sedante –ver página 10–.
- ➤ Aplique simultáneamente en ambos pies el masaje relajante en las zonas del plexo solar –ver página 10–. Aumente ligeramente la presión cuando la persona que recibe el masaje inspire, y relájela cuando espire. Esta técnica de masaje potencia el efecto relajante en la

Zonas linfáticas de la pelvis

Columna vertebral

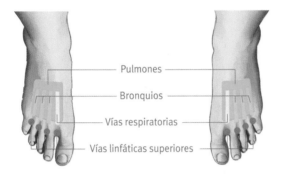

Pulmones

Bronquios

Vías respiratorias

Vías linfáticas superiores

B

región torácica. Al cabo de unos minutos, aparte lentamente las manos de los pies.

➤ Masajee las zonas linfáticas de la pelvis y la cavidad abdominal. Friccione algunas veces suavemente la pierna hasta el tobillo, primero la derecha y luego la izquierda –ver página 17–. Procure que sus manos establezcan un contacto muy amplio.

➤ Para finalizar, friccione ambos pies: hacia arriba por la cara interna y hacia abajo por la externa.

CIÁTICA

El nervio ciático es el más largo y grueso del cuerpo humano. Comienza en varios niveles de la columna vertebral y sus ramificaciones se prolongan hasta los dedos de los pies. Si el nervio ciático sufre un bloqueo en su arranque a nivel de la columna, puede provocar grandes dolores, desagradables cosquilleos e incluso limitar la movilidad de la pierna y del pie. Al efectuar un movimiento repentino e incontrolado o al levantar un peso importante, pueden producirse fuertes dolores en la región lumbar. Es lo que conocemos habitualmente como lumbago. Si se pinza una terminación nerviosa, se notan fuertes dolores de espalda e importantes dolores que limitan la movilidad. Muchos de los dolores de la región lumbar proceden también de contracciones musculares cercanas a las terminaciones nerviosas.

El masaje sedante de las zonas reflejas ayuda a relajar los músculos y alivia los dolores, lo cual ayuda a recuperar la movilidad.

ADVERTENCIA

¡Todas las dolencias relacionadas con la columna vertebral requieren diagnóstico médico!

Así se hace

- ➤ Tome contacto con los pies y empiece el masaje con movimientos suaves y sensitivos.
- ➤ Masajee las zonas de la columna vertebral, activándolas de forma suave y dinámica, primero en el pie derecho y luego en el izquierdo. Concéntrese especialmente en las zonas de la región lumbar, el coxis y el sacro –por debajo de la cara interna de los tobillos hasta los talones–.
- ➤ Masajee, en ambos pies, las zonas de la nuca y de la cintura escapular, primero en el pie derecho y luego en el izquierdo.
- ➤ Aplique un masaje sedante en las zonas de la rodilla y de la cadera situadas en la parte exterior del pie.
- ➤ En caso de dolores agudos, aplique un masaje sedante en las zonas especiales de las regiones lumbar y sacral de la parte exterior del pie.
- ➤ En caso de dolores agudos de ciática, aplique un masaje sedante en las zonas especiales del lado interior del pie.

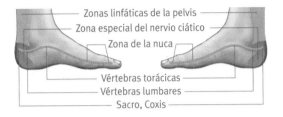

Zonas linfáticas de la pelvis
Zona especial del nervio ciático
Zona de la nuca
Vértebras torácicas
Vértebras lumbares
Sacro, Coxis

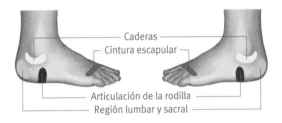

Caderas
Cintura escapular
Articulación de la rodilla
Región lumbar y sacral

➤ A continuación, aplique durante unos minutos simultáneamente en ambos pies el masaje de relajación de las zonas reflejas del plexo solar –ver página 10–.

➤ Masajee las zonas linfáticas de la pelvis y de la cavidad abdominal, estableciendo mucho contacto con la piel. Friccione suave y rítmicamente las piernas hacia el tobillo, primero en la derecha y luego en la izquierda –ver página 17–.

➤ Para finalizar, friccione los pies: hacia arriba por el lado interior y hacia abajo por el exterior.

CONTRACCIONES DE NUCA Y HOMBROS

Las principales causas del dolor y de las contracciones de nuca y de hombros son la falta de ejercicio y adoptar una mala postura al estar sentados. Muchas personas permanecen sentadas durante horas ante el ordenador manteniendo una postura fija orientada hacia delante. Al cambiar de posición, suelen notar un fuerte dolor en los hombros, que a veces se concentra en zonas especialmente sensibles.

Para evitar estas contracciones, procure efectuar algunos ejercicios de estiramientos durante su jornada laboral y durante su vida cotidiana. Cuando efectúe viajes largos en coche, esto también le ayudará a evitar posibles dolores de cabeza y falta de concentración debidos a las contracciones de la nuca.

El masaje de las zonas reflejas resulta muy eficaz para aflojar las contracciones de la zona de los hombros. Para ello, es necesario activar enérgicamente las zonas de la nuca y de la cintura escapular situadas en las plantas de los pies.

Así se hace

➤ Tome contacto con los pies y empiece el masaje con movimientos suaves y sensitivos.

➤ Masajee las zonas de la columna vertebral de forma suave y dinámica: primero en el pie derecho y luego en el izquierdo. Si localiza una zona dolorosa, aplíquele solamente el masaje sedante –ver página 10–.

➤ Masajee, seguidamente, las zonas del pie correspondientes a la cintura escapular y las articulaciones de los hombros –ver página 93–. Aplique un masaje sedante en las zonas que puedan resultar dolorosas.

➤ Si nota contracciones muy agudas en los hombros y en la nuca, masajee las zonas de la cintura escapular con más fuerza y durante más tiempo.

➤ Active, a continuación, las zonas de las articulaciones de los hombros, de las articulaciones de los codos –ver página 93–, de los brazos y de los antebrazos: primero en el pie derecho y luego en el izquierdo. Si una zona le produce mucho dolor, sédela (en caso de dolor en las articulaciones, vea también la página 44).

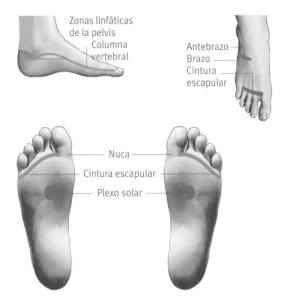

Zonas linfáticas
de la pelvis
Columna
vertebral

Antebrazo
Brazo
Cintura
escapular

Nuca
Cintura escapular
Plexo solar

C

> Aplique, simultáneamente en ambos pies, el masaje sedante para las zonas reflejas del plexo solar –ver página 10–. Mantenga una ligera presión sobre esas zonas durante algunos minutos y luego aparte lentamente las manos.

> Masajee seguidamente las zonas linfáticas de la pelvis y de la cavidad abdominal. Friccione varias veces las piernas de forma suave y rítmica hacia el tobillo: primero el derecho y luego el izquierdo –ver página 17–. Procure que la superficie de contacto de su mano con la piel sea lo mas amplia posible.

> Para finalizar, friccione los pies: hacia arriba por el lado interno y hacia abajo por el externo.

DIFICULTADES PARA CONCENTRARSE

La concentración es un estado superior de atención mental. Dicho estado libera las energías físicas y psíquicas que se han de orientar hacia un determinado objetivo. La concentración es imprescindible para obtener un buen rendimiento en el trabajo, en los estudios o en el deporte. A lo largo de todo el día, recibimos innumerables estímulos externos que debemos clasificar como importantes o como superfluos. Esto nos produce un importante desgaste que nos roba energías tanto físicas como mentales, lo cual afecta negativamente a nuestra capacidad de concentración. Ésta se puede aprender, pero no es posible forzarla.

El masaje de las zonas reflejas potencia la regulación de las energías del organismo y favorece que la persona se sienta más tranquila y equilibrada.

Así se hace

➤ Tome contacto con los pies y empiece el masaje con movimientos suaves y sensitivos.

➤ Masajee las zonas de la columna vertebral, activándolas de forma suave y dinámica, primero en el pie derecho y luego en el izquierdo. Si localiza una zona dolorosa, apliquele solamente el masaje sedante –ver página 10–.

➤ Active las zonas del cerebro y de la hipófisis en los pulgares de ambos pies y las de la cabeza en los demás dedos.

➤ Masajee, seguidamente, las zonas de las vías linfáticas superiores pinzando suavemente con el pulgar y el índice los pliegues cutáneos situados entre los dedos de los pies.

➤ Active suavemente y durante algo más de tiempo la zona del hígado en el pie derecho.

➤ Aplique simultáneamente en ambos pies el masaje relajante de las zonas reflejas del plexo solar –ver página 10–. Pasados tres minutos, aumente la presión cuando la persona que recibe el masaje inspire, y relájela cuando espire. Este masaje favorece el efecto relajante mediante una profunda regulación de la respiración. Aparte las manos al cabo de unos minutos.

➤ Masajee de nuevo las zonas de la cabeza ejerciendo algo más de

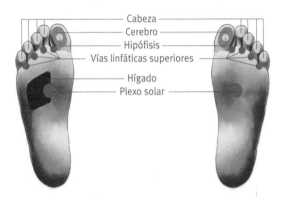

presión y activándolas mediante movimientos en círculo con las puntas de las yemas de los pulgares.

➤ Seguidamente, masajee las zonas linfáticas de la pelvis y de la cavidad abdominal procurando que la mano esté en contacto con una amplia superficie de piel. Friccione algunas veces las piernas con suavidad hacia el tobillo, primero el derecho y luego el izquierdo –ver página 17–.

➤ Para finalizar, friccione los pies: hacia arriba por el lado interior y hacia abajo por el exterior.

DOLENCIAS MENSTRUALES

Muchas mujeres, especialmente las jóvenes, tienen un ciclo menstrual irregular y suelen sufrir dolores espasmódicos en el bajo vientre antes y durante el periodo. Generalmente, se deben a ligeros desequilibrios hormonales, pero también pueden intervenir algunos factores psíquicos. En lo que conocemos como síndrome premenstrual, muchas sufren retención de líquidos en los tejidos, dolor de espalda, dilatación de los pechos, dolores de cabeza y alteraciones emocionales. Para aliviar estos síntomas es aconsejable tomarse pequeños descansos, estar al aire libre y practicar algún deporte ligero. El masaje de las zonas reflejas puede ayudar a regularizar el ciclo y hacer desaparecer casi por completo estos síntomas tan desagradables. En caso de dolores menstruales agudos, se aplica el masaje sedante de las zonas de la pelvis.

Así se hace

- Tome contacto con los pies y empiece el masaje con movimientos suaves y sensitivos.
- Masajee las zonas de la columna vertebral, activándolas de forma suave y dinámica: primero en el pie derecho y luego en el izquierdo. Si localiza alguna zona dolorosa, aplíquele solamente el masaje sedante –ver página 10–.
- Active las zonas del pecho y de la cavidad abdominal friccionando transversalmente sobre el empeine: primero en el pie derecho y luego en el izquierdo.
- Masajee, seguidamente, la zona de la hipófisis en ambos pulgares de los pies: primero el izquierdo y luego el derecho.
- Aplicando un poco más de presión, active las zonas de la pelvis, situadas en los talones.
- Aplique un masaje suave y sedante sobre las zonas reflejas de los ovarios y del útero.
- Empiece por la cara externa del tobillo y avance paso a paso hacia la interna.
- A continuación, aplique simultáneamente en ambos pies el masaje relajante para las zonas reflejas del plexo solar –ver página 10.
- Ejerza una suave presión sobre estas zonas durante algunos minutos, y luego aparte lentamente las manos.

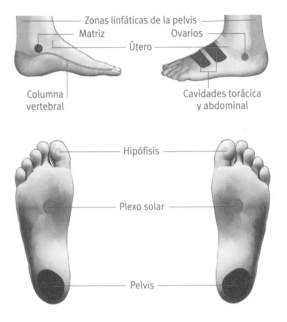

> Masajee, seguidamente, las zonas linfáticas de la pelvis y la cavidad abdominal. Friccione varias veces las piernas suave y rítmicamente hacia los tobillos, primero el derecho y luego el izquierdo –ver página 17–. Procure que la superficie de contacto de sus manos con la piel sea lo más amplia posible.

> Para finalizar, friccione los pies: hacia arriba por el lado interno y hacia abajo por el externo.

DOLOR DE CUELLO Y RONQUERA

El dolor de cuello y la ronquera suelen aparecer a consecuencia de un resfriado o de una gripe, pero también pueden presentarse cuando se ha forzado mucho la voz. Los primeros síntomas son un escozor en el cuello acompañado de frecuente carraspeo, pero luego pueden presentarse dificultades para deglutir o dolores punzantes acompañados de procesos infecciosos. Cuando la infección impide que las cuerdas vocales puedan moverse libremente, aparece la ronquera e incluso se puede llegar a la afonía.

Procure empezar el masaje de las zonas reflejas en cuanto note los primeros picores en el cuello. De esta manera, conseguirá mejorar la irrigación de las mucosas de la boca, las fosas nasales y la garganta, lo cual le aliviará las molestias.

Así se hace

➤ Empiece el masaje con movimientos suaves y sensitivos.

➤ Masajee las zonas de la columna vertebral, activándolas de forma suave y dinámica, primero en el pie derecho y luego en el izquierdo. Si localiza una zona dolorosa, apliquele solamente el masaje sedante –ver página 10–.

➤ Trabaje las zonas de los dedos correspondientes a la cabeza.

➤ Active las zonas de las vías linfáticas superiores pinzando suavemente con el pulgar y el índice los pliegues cutáneos situados entre los dedos de los pies.

➤ Active las zonas de boca, nariz y garganta de los pulgares de ambos pies para estimular las mucosas y la excreción. Si le duele mucho el cuello o tiene molestias al deglutir, aplique en estas zonas solamente el masaje sedante –ver página 10–.

➤ Active suavemente las zonas de los bronquios situadas en las hendiduras entre los huesos del empeine.

➤ Aplique un masaje relajante simultáneamente en las zonas reflejas del plexo solar de ambos pies –ver página 10–. Aumente ligeramente la presión cuando la persona que recibe el masaje inspire, y disminuya la presión cuando espire. Esta técnica potencia el efecto relajante en la región torácica. Al cabo de unos minutos, abandone lentamente el contacto con los pies.

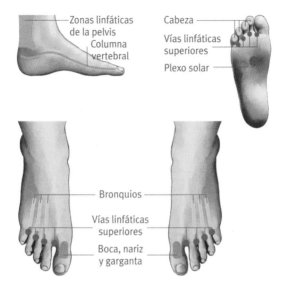

Zonas linfáticas de la pelvis
Columna vertebral
Cabeza
Vías linfáticas superiores
Plexo solar
Bronquios
Vías linfáticas superiores
Boca, nariz y garganta

D

➤ Masajee las zonas linfáticas de la pelvis y de la cavidad abdominal. Seguidamente, friccione varias veces las piernas suave y rítmicamente hacia los tobillos, primero el derecho y luego el izquierdo –ver página 17–. Procure que la superficie de contacto de las manos con la piel sea lo más amplia posible.

➤ Para finalizar, friccione ambos pies: hacia arriba por el lado interno y hacia abajo por el externo.

DOLOR DE OÍDOS Y ZUMBIDOS

Los dolores de oídos pueden deberse a varias causas. Muchas veces tienen su origen en una infección del oído medio o externo, y generalmente producen fiebre y un dolor intenso y pulsante. Las otitis graves suelen ser de origen bacteriano o vírico, pero también pueden estar causadas por toxinas. Son especialmente frecuentes en los niños, y aparecen a consecuencia de unas anginas crónicas –pólipos–, de sinusitis o de infecciones crónicas de las vías respiratorias superiores.

Los zumbidos en los oídos –tinnitus– suelen estar causados por enfermedades cardiovasculares, lesiones del tímpano o defectos del oído interno. Sin embargo, los problemas psíquicos y estados carenciales de vitaminas y minerales también pueden producir estos zumbidos.

El masaje de las zonas reflejas favorece un mejor aporte energético en general.

ADVERTENCIA

En caso de dolor de oído, siempre hay que ir al médico, ya que un tratamiento inadecuado podría complicar mucho la situación y producir daños importantes.

Así se hace

➤ Tome contacto con los pies y empiece el masaje con movimientos suaves y sensitivos.
➤ Masajee las zonas de la columna vertebral de forma suave y dinámica: primero en el pie derecho y luego en el izquierdo. Si localiza una zona dolorosa, apliquele solamente el masaje sedante –ver página 10–.

ADVERTENCIA

En los casos de otitis –infección del oído medio–, solamente hay que aplicar un masaje sedante en las zonas de los oídos.

➤ Active, con suavidad, todas las zonas de la cabeza así como las de los oídos. Al trabajar las zonas de los oídos, asegúrese de que realmente aplica el masaje en toda la extensión de los dedos menores.

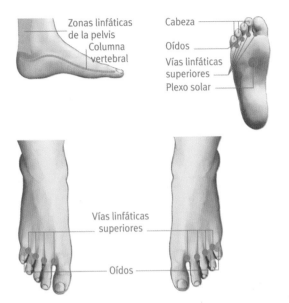

Zonas linfáticas de la pelvis
Columna vertebral
Cabeza
Oídos
Vías linfáticas superiores
Plexo solar
Vías linfáticas superiores
Oídos

D

> Active las zonas de las vías linfáticas superiores pinzando suavemente con el pulgar y el índice los pliegues cutáneos que hay entre los dedos de los pies.
> Masajee las zonas linfáticas de la pelvis y la cavidad abdominal, procurando que haya mucho contacto entre la piel y la mano. Friccione algunas veces las piernas suavemente hacia el tobillo, primero el derecho y luego el izquierdo –ver página 17–.
> Aplique simultáneamente en ambos pies el masaje relajante para las zonas reflejas del plexo solar –ver página 10–. Presione suavemente esas zonas durante algunos minutos, y luego aparte lentamente las manos
> Para finalizar, friccione los pies: hacia arriba por el lado interno y hacia abajo por el externo.

DOLORES DE CABEZA Y MIGRAÑAS

Generalmente, el dolor de la cabeza no es síntoma de enfermedad, sino que se debe a factores tales como fatiga, hambre, sed, estrés o tensiones. Los analgésicos solamente sirven para eliminar la percepción del dolor. Lo importante es tener tranquilidad, paz, relajarse y hacer ejercicio. También hay diversas técnicas de relajación que resultan útiles para combatir el dolor. Actúan concretamente a nivel del mecanismo que origina las migrañas en el cerebro, y permiten aliviar los dolores o incluso eliminarlos por completo.

El masaje frecuente de las zonas reflejas puede hacer que los ataques de dolor sean menos frecuentes, más breves y de menor intensidad. Además, el masaje de los pies permite relajar la cabeza, y ayuda a conseguir un mejor equilibrio entre las energías sensoriales y las cognitivas.

Así se hace

➤ Tome contacto con los pies y empiece el masaje con movimientos suaves y sensitivos.
➤ Masajee las zonas de la columna vertebral activándolas de forma suave y dinámica: primero en el pie derecho y luego en el izquierdo. Si localiza una zona dolorosa, aplíquele solamente el masaje sedante –ver página 10–.
➤ Active las zonas del cerebro y de la hipófisis en los pulgares de ambos pies, y las de la cabeza, ojos y oídos en los demás dedos.
➤ Masajee, seguidamente, las zonas de las vías linfáticas superiores pinzando suavemente con el pulgar y el índice los pliegues cutáneos situados entre los dedos de los pies.
➤ Active las zonas de la nuca y de la cintura escapular ejerciendo algo más de presión en las plantas de ambos pies.
➤ A continuación, aplique simultáneamente en ambos pies el masaje relajante de las zonas reflejas del plexo solar –ver página 10–. Mantenga una ligera presión sobre esa zona durante algunos minutos. Aumente un poco la presión cuando la persona que recibe el masaje inspire y redúzcala cuando espire. Después, aparte lentamente las manos.
➤ Masajee, a continuación, las zonas linfáticas de la pelvis y de la ca-

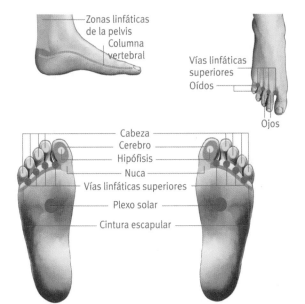

Zonas linfáticas
de la pelvis
Columna
vertebral

Vías linfáticas
superiores
Oídos

Ojos

Cabeza
Cerebro
Hipófisis
Nuca
Vías linfáticas superiores
Plexo solar
Cintura escapular

D

vidad abdominal. Friccione algunas veces las piernas con suavidad hacia los tobillos: primero el derecho y luego el izquierdo –ver página 17–. Procure que la superficie de contacto de las manos con la piel sea lo más amplia posible.

➤ Para finalizar, friccione los pies: hacia arriba por el lado interno y hacia abajo por el externo.

DOLORES DE ESPALDA

Los típicos dolores y tirones que se notan en la parte baja de la espalda suelen tener su origen en desgarros musculares o en desplazamientos de vértebras en los que queda pinzado algún nervio. Esto produce un dolor muy intenso, y puede limitar mucho la movilidad de la persona. Para prevenir los sobreesfuerzos de la musculatura de la espalda, resulta muy práctico efectuar estiramientos y ejercicios de equilibrio –ver página 30–.

Las tensiones emocionales, los conflictos internos y la contención del estrés también pueden manifestarse a largo plazo en forma de un agarrotamiento de la musculatura dorsal. Y esto, muchas veces, genera dolores crónicos de espalda.

El masaje directo con las manos permite aliviar las molestias y contracciones que se producen a lo largo de los músculos de la espalda, mientras que el masaje de las zonas reflejas elimina los bloqueos y alivia mucho los dolores.

Así se hace

- ➤ Tome contacto con los pies y empiece el masaje con movimientos suaves y sensitivos.
- ➤ Masajee las zonas de la columna vertebral, activándolas de forma suave y dinámica: primero en el pie derecho y luego en el izquierdo. Concéntrese principalmente en las zonas de las vértebras lumbares, así como en las del sacro y del coxis, es decir, por debajo de la cara interna del tobillo hasta el talón –ver página 29–. Si localiza una zona dolorosa, aplíquele solamente el masaje sedante –ver página 10–.
- ➤ En caso de dolor de espalda agudo, aplique un masaje sedante en las zonas lumbar y sacral situadas en la cara externa del pie.
- ➤ En caso de dolores lumbares que se prolonguen hasta la parte superior del muslo, aplique un masaje sedante en la zona del isquias localizada en la cara interna del pie. En las épocas en que no note dolores, también puede activar suavemente estas zonas.
- ➤ A continuación, aplique simultáneamente en ambos pies el masaje de las zonas reflejas del plexo solar –ver página 10–. Ejerza una ligera presión sobre esas zonas durante algunos minutos. Aumente un po-

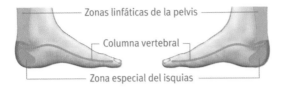

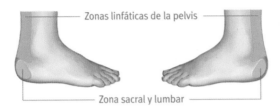

co la presión cuando la persona que recibe el masaje inspire, y disminúyala cuando espire. Luego aparte lentamente las manos.

➤ Masajee las zonas linfáticas de la pelvis y de la cavidad abdominal.
Friccione varias veces las piernas de forma suave y rítmica hacia los
tobillos: primero la derecha y luego la izquierda –ver página 17–. Procure que la superficie de contacto de sus manos con la piel sea lo
más amplia posible.

➤ Para finalizar, friccione los pies: hacia arriba por el lado interno y hacia abajo por el externo.

DOLORES DE LAS ARTICULACIONES

Algunos deportes y algunas actividades profesionales fuerzan las articulaciones unilateralmente o las someten a un trabajo excesivo. Una de las consecuencias más habituales es lo que conocemos como brazo de tenista. Después de sufrir una lesión, también es frecuente que aparezcan inflamaciones y dolores articulares, lo cual reduce notablemente la movilidad.

Al hacer deporte, es necesario tomarse muy en serio la fase de calentamiento y no empezar nunca «en frío».

El masaje de las zonas reflejas puede servir para apoyar y acelerar el tratamiento de los dolores articulares, aliviando los dolores y haciendo que el enfermo recupere antes la movilidad. Y esto puede aumentar considerablemente la calidad de vida, especialmente para las personas de edad avanzada.

ADVERTENCIA

¡En caso de dolores agudos, solamente hay que aplicar el masaje sedante! Cuando no haya dolores, active suavemente las zonas.

Así se hace

➤ Tome contacto con los pies y empiece el masaje con movimientos suaves y sensitivos.
➤ Masajee las zonas de la columna vertebral activándolas suave y dinámicamente: primero en el pie derecho y luego en el izquierdo. Si localiza alguna zona dolorosa, apliquele solamente el masaje sedante –ver página 10–.
➤ Masajee, en ambos pies, las zonas de la nuca y las zonas de la cintura escapular, primero en el derecho y luego en el izquierdo.
➤ Masajee seguidamente las zonas del empeine correspondientes a la cintura escapular, las articulaciones de los hombros, el brazo, el antebrazo y la articulación de la rodilla, primero en el pie derecho y luego en el izquierdo. Si alguna zona correspondiente a una articulación le produce dolor, aplique sólo un masaje sedante –ver página 10–.
➤ En caso de tensiones en hombros y nuca sin inflamación aguda, ac-

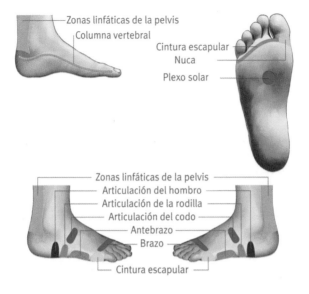

Zonas linfáticas de la pelvis
Columna vertebral
Cintura escapular
Nuca
Plexo solar

Zonas linfáticas de la pelvis
Articulación del hombro
Articulación de la rodilla
Articulación del codo
Antebrazo
Brazo
Cintura escapular

tive las zonas de la cintura escapular en la planta del pie durante más tiempo y con más intensidad.

➤ Seguidamente, aplique el masaje relajante de las zonas del plexo solar simultáneamente en ambos pies –ver página 10–. Ejerza una ligera presión sobre estas zonas durante algunos minutos y luego suéltelas lentamente.

➤ Masajee las zonas linfáticas de la pelvis y la cavidad abdominal. Friccione algunas veces las piernas suave y rítmicamente hacia los tobillos, primero el derecho y luego el izquierdo –ver página 17–. Procure que ambas manos tengan una amplia superficie de contacto con la piel.

➤ Para finalizar, friccione ambos pies: hacia arriba por el lado interno y hacia abajo por el externo.

DOLORES REUMÁTICOS Y GOTA

El reuma es una enfermedad del tejido conjuntivo de las articulaciones y de los tejidos circundantes. Se trata de un proceso lento y en el que las articulaciones se inflaman progresivamente. Si el reuma se convierte en crónico, aparecen dolores y las articulaciones sufren unas deformaciones características.

La gota suele producir dolores en las articulaciones de los dedos, de los codos y de las rodillas, además de ser muy frecuentes los dolores en los pulgares de los pies.

El masaje de las zonas reflejas es un buen complemento de los tratamientos médicos, y ayuda a eliminar el ácido úrico. Además, muchos enfermos de reuma notan que el masaje les alivia considerablemente los dolores.

Así se hace

➤ Tome contacto con los pies y empiece el masaje con movimientos suaves y sensitivos.

➤ Masajee las zonas reflejas de la columna vertebral, activándolas de forma suave y dinámica: primero en el pie derecho y luego en el izquierdo. Si localiza alguna zona dolorosa, aplíquele solamente el masaje sedante –ver página 10–.

➤ Active las zonas de la nuca y de la cintura escapular: primero en el pie derecho y luego en el izquierdo. Masajee, a continuación, las zonas de la cintura escapular, de los hombros, del codo, del brazo, del antebrazo, de la cadera y de la rodilla: primero en el derecho y luego en el izquierdo. Acabe con un masaje suave y activador. Si nota dolor en alguna articulación, aplique un masaje sedante en esa zona.

➤ Active las zonas de las vías linfáticas superiores pinzando suavemente con el pulgar y el índice los pliegues cutáneos situados entre los dedos de los pies.

➤ Active, de forma dinámica, las zonas de las cápsulas suprarrenales, primero en el pie derecho y luego en el izquierdo, así como la zona del bazo en el izquierdo.

➤ Aplique, simultáneamente en ambos pies, el masaje relajante de las zonas del plexo solar –ver página 10–. Mantenga una ligera presión

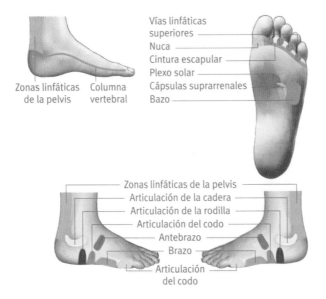

Vías linfáticas superiores
Nuca
Cintura escapular
Plexo solar
Cápsulas suprarrenales
Bazo

Zonas linfáticas de la pelvis   Columna vertebral

Zonas linfáticas de la pelvis
Articulación de la cadera
Articulación de la rodilla
Articulación del codo
Antebrazo
Brazo
Articulación del codo

D

sobre esas zonas durante algunos minutos, y luego aparte lentamente las manos.

➤ Masajee, a continuación, las zonas linfáticas de la pelvis y de la cavidad abdominal. Friccione varias veces las piernas, suave y rítmicamente hacia los tobillos, primero la derecha y luego la izquierda –ver página 17–. Procure que la superficie de contacto de sus manos con los pies sea lo más amplia posible.

➤ Para finalizar, friccione ambos pies: hacia arriba por el lado interno y hacia abajo por el externo.

ESTADOS DE ANSIEDAD

Es normal tener ciertos temores, y el miedo nos ayuda a ir con cuidado y a comportarnos con prudencia. Pero también existen miedos que pueden provocar intranquilidad interna, sudoración y noches en vela. El miedo también puede provocar insuficiencia respiratoria, dificultades para deglutir, calambres y dolores en el pecho, problemas de estómago, alteraciones intestinales y diarrea.

Actualmente, hay muchas personas que sufren constantes temores y estados de ansiedad que no son más que una manifestación psíquica resultante de un estado de estrés permanente.

Procure comentar abiertamente sus temores con su pareja, sus amigos y sus conocidos. El masaje de las zonas reflejas le ayudará a relajarse profundamente a la vez que proporciona equilibrio a su sistema nervioso vegetativo.

Así se hace

➤ Tome contacto con los pies e inicie el masaje con movimientos suaves y sensitivos. Dedique mucho tiempo a la fase de apertura.

➤ Masajee las zonas correspondientes a la columna vertebral. Empiece por activar suave y dinámicamente las zonas del pie derecho y pase luego al izquierdo. Si localiza alguna zona que produzca dolor, apliquele un masaje sedante –ver página 10–.

➤ Pase a los dedos de los pies y active suavemente todas las zonas correspondientes a la cabeza. Prolongue un poco el masaje en las yemas de los dedos.

➤ A continuación, dé un masaje algo más vigoroso en las zonas correspondientes a la nuca y los hombros, primero en el pie derecho y luego en el izquierdo. Trabaje intensamente a lo largo de las articulaciones de los dedos y masajee alternativamente desde la cara interna del pie hasta la externa, y viceversa.

➤ Active ahora la zona de la vesícula biliar. Si produce dolor, apliquele un masaje sedante.

➤ Masajee las zonas linfáticas de la pelvis y del vientre. Friccione suavemente algunas veces desde la pierna hasta el tobillo. Primero en la derecha y luego en la izquierda –ver página 17–. Procure que exista una amplia superficie de contacto entre sus manos y el pie.

Zonas linfáticas de la pelvis

Columna vertebral

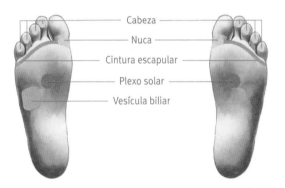

Cabeza

Nuca

Cintura escapular

Plexo solar

Vesícula biliar

E

> Aplique simultáneamente en ambos pies un masaje de relajación en las zonas reflejas del plexo solar –ver página 10–. Ejerza una presión suave sobre estas zonas durante algunos minutos y luego suéltelas lentamente.

> Para finalizar, friccione ambos pies, en la cara interna hacia arriba y en la externa hacia abajo.

ESTADOS DEPRESIVOS

En ocasiones, todos nos sentimos a veces con falta de energía y de ilusiones. El exceso de cargas emocionales llega a alterar nuestra vida cotidiana. Los problemas domésticos o laborales, la pérdida de empleo, los conflictos sin solucionar, el final de una relación o la tristeza hacen que nos retraigamos en nosotros mismos. Pero al cabo de un cierto tiempo recobramos la alegría de vivir: «¡la vida sigue!».

El masaje de las zonas reflejas puede ayudar a restablecer el equilibrio físico y anímico. Pero las personas que están enfermas de depresión necesitan también un tratamiento médico y psicológico especializado.

ADVERTENCIA

En caso de depresiones graves, no hay que dar masaje en las zonas reflejas.

Así se hace

- ➤ Tome contacto con los pies y empiece el masaje con movimientos suaves y sensitivos.
- ➤ Masajee a continuación las zonas de la columna vertebral activándolas de forma suave y dinámica, primero en el pie derecho y luego en el izquierdo. Si localiza una zona dolorosa, aplíquele el masaje sedante –ver página 10–.
- ➤ Active seguidamente las zonas de la hipófisis en los pulgares de los pies y las de la cabeza en ambos meñiques. Puede masajear simultáneamente las de los dos pies con ambas manos.
- ➤ Masajee, a continuación, las zonas de las vías linfáticas superiores pinzando suavemente con el pulgar y el índice los pliegues cutáneos que hay entre los dedos de los pies.
- ➤ Seguidamente, friccione con los dedos las hendiduras de los huesos del empeine durante unos minutos en dirección hacia los dedos del pie.
- ➤ Masajee las zonas del hígado en el pie derecho y del bazo en el pie izquierdo para activarlas suavemente. Tómese un poco más de tiempo para ello.
- ➤ Aplique simultáneamente un masaje relajante en las zonas reflejas

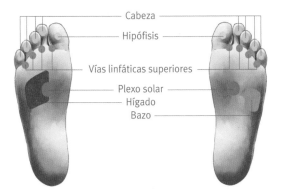

del plexo solar de ambos pies –ver página 10–. Presione suavemente estas zonas durante algunos minutos, y luego suéltelas lentamente.

➤ Masajee finalmente las zonas linfáticas de la pelvis y de la cavidad abdominal. Friccione algunas veces suave y rítmicamente la pierna hacia el tobillo, primero la derecha y luego la izquierda –ver página 17–. Procure que sus manos estén en contacto con una amplia superficie de la piel.

➤ Para finalizar, friccione ambos pies: hacia arriba por la cara interna y hacia abajo por la externa.

ESTRÉS Y NERVIOSISMO

En principio, el estrés es positivo porque libera energías. Las llamadas hormonas del estrés se encargan de poner al organismo en estado de alerta y listo para entrar en acción. Pero si no existe posibilidad de emplear esa energía liberada, entonces se altera el equilibrio entre tensión y relajación, entre actividad y reposo. Y esto supone un esfuerzo para el control vegetativo del organismo, lo cual puede desarrollar consecuencias tales como nerviosismo, colon irritable o palpitaciones.

El masaje de las zonas reflejas ayuda a regenerar el sistema nervioso vegetativo, a la vez que proporciona una mayor paz interior, tranquilidad y relajación.

Así se hace

➤ Tome contacto con los pies y empiece el masaje con movimientos suaves y sensitivos.

➤ Masajee las zonas de la columna vertebral activándolas de forma suave y dinámica, primero en el pie derecho y luego en el izquierdo. Si localiza alguna zona dolorosa, aplíquele solamente un masaje sedante –ver página 10–.

➤ A continuación, active suavemente las zonas de la cabeza en los dedos del pie derecho y en el izquierdo. Tómese algunos minutos para masajear las yemas de todos los dedos de los pies.

➤ Trabaje seguidamente las zonas de las vías linfáticas superiores, pinzando suavemente con el pulgar y el índice los pliegues cutáneos que hay entre los dedos de los pies.

➤ Active de forma algo más enérgica las zonas de la nuca y de la cintura escapular situadas en las plantas de los pies.

➤ A continuación, aplique simultáneamente en ambos pies el masaje relajante para las zonas del plexo solar –ver página 10–. Presione suavemente esas zonas de tres a cinco minutos.

➤ Aumente un poco la presión cuando la persona que recibe el masaje inspire, y disminúyala cuando espire. Este masaje favorece el efecto relajante porque ayuda a regularizar la respiración. Practíquelo de tres a cinco minutos antes de apartar lentamente las manos.

➤ Masajee las zonas linfáticas de la pelvis y de la cavidad abdominal, procurando que la superficie de contacto entre la mano y la piel sea

Zonas linfáticas de la pelvis
Columna vertebral

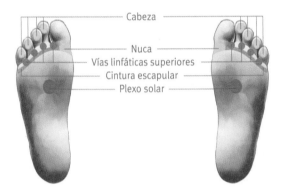

Cabeza
Nuca
Vías linfáticas superiores
Cintura escapular
Plexo solar

E

lo más amplia posible. Masajee varias veces las piernas suavemente hacia los tobillos: primero la derecha y luego la izquierda –ver página 17–.

➤ Para finalizar, friccione los pies: hacia arriba por el lado interno y hacia abajo por el externo.

FATIGA Y AGOTAMIENTO

Las exigencias a las que nos somete actualmente nuestra actividad laboral, e incluso el ocio, acaban por pasarnos factura: muchas personas ya no saben qué hacer para relajarse y regenerarse.

Para conseguir armonizar el estado energético, es necesario lograr una alternancia rítmica entre tensión y relajación. La mejor forma de «cargar las pilas» es durmiendo. Durante el sueño, el organismo repone las energías vitales, por lo que es muy importante dormir lo suficiente. Pero también es necesario «desconectar» algunos momentos durante la jornada para salir de la rutina, relajarse y reponerse.

El masaje de las zonas reflejas le puede ayudar a recobrar rápidamente las energías, y a largo plazo le proporcionará un mayor equilibrio energético.

Así se hace

➤ Tome contacto con los pies e inicie el masaje con movimientos suaves y sensitivos.

➤ Masajee a continuación las zonas de la columna vertebral activándolas de forma suave y dinámica, primero en el pie derecho y luego en el izquierdo. Si localiza una zona dolorosa, aplíquele el masaje sedante –ver página 10–.

➤ A continuación, active transversalmente las zonas de la cavidad torácica y de la cavidad abdominal, localizadas en el empeine, primero en el pie derecho y luego en el izquierdo.

➤ Masajee luego las zonas de la cabeza en los dedos de los pies: primero en el derecho y luego en el izquierdo. Las zonas de la hipófisis en los pulgares puede masajearlas simultáneamente en ambos pies.

➤ Active seguidamente las zonas de las vías linfáticas superiores pinzando suavemente, con el pulgar y el índice, los pliegues cutáneos situados entre los dedos de los pies.

➤ Durante unos minutos, active suave pero dinámicamente la zona del hígado en el pie derecho y la del bazo en el izquierdo.

➤ Aplique simultáneamente en ambos pies el masaje relajante en la zona del plexo solar –ver página 10–. Ejerza una suave presión en esas zonas durante algunos minutos y luego suéltelas lentamente.

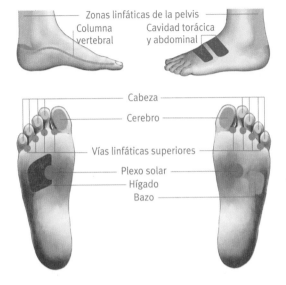

- Masajee, a continuación, las zonas linfáticas de la pelvis y de la cavidad abdominal. Para ello, friccione suave y rítmicamente varias veces la pierna hacia el tobillo, primero el derecho y luego el izquierdo –ver página 17–. Procure que sus manos estén en contacto con una amplia superficie de la piel.
- Para finalizar, friccione ambos pies: hacia arriba por el lado interno y hacia abajo por el externo.

FIEBRE DEL HENO

La fiebre del heno es una alergia. Las mucosas se inflaman, escuecen y provocan una secreción nasal acuosa, por lo que la nariz está permanentemente congestionada. En estos casos, se producen fuertes ataques de estornudos y los ojos suelen estar enrojecidos y llorosos.

Si los síntomas se trasladan de la nariz y la garganta a los bronquios, la infección puede ser un asma debido al polen. Si usted sufre frecuentemente la fiebre del heno y se trata de episodios de larga duración, deberá visitar a un médico especialista –alergólogo–, ya que el riesgo de asma puede rebajarse notablemente mediante un tratamiento adecuado.

En el caso de alergia al polen, complemente el masaje para la fiebre del heno con el de «reacciones alérgicas» –ver página 18–.

Así se hace

- Tome contacto con los pies y empiece el masaje con movimientos suaves y sensitivos.
- Masajee las zonas de la columna vertebral, activándolas de forma suave y dinámica, primero en el pie derecho y luego en el izquierdo. Si localiza una zona dolorosa, aplíquele solamente el masaje sedante –ver página 10–.
- Active, a continuación, las zonas de la hipófisis de ambos pulgares de los pies y las zonas de la cabeza de los meñiques. Puede masajear estas zonas simultáneamente en los dos pies con ambas manos.
- Aplique un masaje sedante en las zonas de nariz, boca y garganta de los pulgares de ambos pies. En caso de irritación ocular, hágalo también en las zonas de los ojos.
- Active, a continuación, las zonas de las vías linfáticas superiores pinzando suavemente con el pulgar y el índice los pliegues cutáneos situados entre los dedos de los pies.
- Active, un poco más enérgicamente, las zonas de las cápsulas suprarrenales dedicando aproximadamente un minuto a cada pie. Active estas zonas aunque duelan.
- Seguidamente, aplique en ambos pies el masaje relajante en las zonas reflejas del plexo solar –ver página 10–. Ejerza una ligera presión

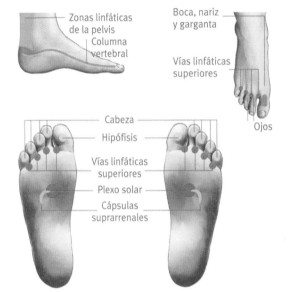

Zonas linfáticas de la pelvis
Columna vertebral
Boca, nariz y garganta
Vías linfáticas superiores
Cabeza
Hipófisis
Ojos
Vías linfáticas superiores
Plexo solar
Cápsulas suprarrenales

F

sobre estas zonas durante algunos minutos, y luego suéltelas lentamente.

➤ Masajee, a continuación, las zonas linfáticas de la pelvis y de la cavidad abdominal. Friccione rítmicamente varias veces las piernas hacia los tobillos, primero la derecha y luego la izquierda –ver página 17–. Procure que la superficie de contacto entre sus manos y la piel sea bastante amplia.

➤ Para finalizar, friccione los pies: hacia arriba por el lado interno y hacia abajo por el externo.

HEMORROIDES

Las hemorroides pueden deberse, entre otras causas, a una debilidad congénita del tejido conjuntivo, a una mala alimentación o a una falta de ejercicio. También es frecuente que aparezcan durante el embarazo, ya que la presión sobre la base de la pelvis aumenta. En sus fases iniciales, las hemorroides son unos engrosamientos de la región anal que no se pueden ver ni palpar. Posteriormente, pueden abultarse hacia el exterior. Las hemorroides suelen producir unos picores muy desagradables y, a veces, incluso llegan a sangrar.

Para tener una buena digestión y evacuar regularmente, es necesario comer alimentos ricos en fibra, beber mucha agua y hacer suficiente ejercicio.

El masaje de las zonas reflejas ayuda a activar todo el tracto digestivo, y estimula los movimientos del intestino. El masaje sedante de las zonas del recto y del ano suele relajarlas mucho, y hace que el molesto escozor no tarde en desaparecer.

Así se hace

- ➤ Tome contacto con los pies y empiece el masaje con movimientos suaves y sensitivos.
- ➤ Masajee las zonas de la columna vertebral, activándolas de forma suave y dinámica, primero en el pie derecho y luego en el izquierdo. Si localiza una zona dolorosa, apliquele solamente el masaje sedante –ver página 10–.
- ➤ Masajee luego las zonas de las vías linfáticas superiores pinzando suavemente con el índice y el pulgar los pliegues cutáneos que hay entre los dedos de los pies
- ➤ Active con algo más de presión las zonas del intestino delgado y del intestino grueso, primero en el pie derecho y luego en el izquierdo. Si localiza una zona dolorosa, apliquele solamente el masaje sedante.
- ➤ Aplique un masaje sedante simultáneamente en las zonas de ambos pies correspondientes al recto y el ano presionándolas con los pulgares hasta que desaparezca el dolor.
- ➤ Aplique simultáneamente en ambos pies el masaje relajante en las zonas reflejas del plexo solar –ver página 10–. Mantenga una suave

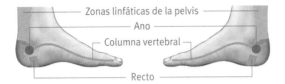

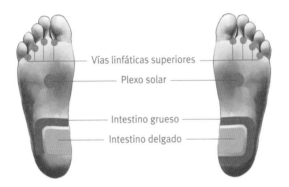

H

presión sobre esas zonas durante algunos minutos y luego suéltelas lentamente.

➤ Masajee las zonas linfáticas de la pelvis y de la cavidad abdominal procurando que haya una amplia superficie de contacto entre la mano y la piel. Friccione la pierna suave y rítmicamente hacia el tobillo, primero la derecha y luego la izquierda –ver página 17–.

➤ Para finalizar, friccione ambos pies: hacia arriba por el lado interno y hacia abajo por el externo.

INCONTINENCIA NOCTURNA

Por lo general, el hecho de que un niño se moje ocasionalmente en la cama puede deberse a distintos factores. Es posible que intervengan problemas hereditarios, pero también puede estar ocasionado por el estrés o por una deficiencia en la generación de la hormona antidiurética ADH, que es la encargada de disminuir la producción de orina durante la noche. Para aclarar las causas, es mejor que consulte a su pediatra y que acuda a un psicólogo si fuese necesario, ya que muchas veces la incontinencia nocturna de los niños está relacionada con problemas psíquicos o emocionales. Pero no le riña ni lo castigue si «se lo hace encima»; así sólo conseguiría agravar el problema.

El masaje de las zonas reflejas le sentará muy bien al niño, aunque sólo sea por la implicación personal que conlleva. Además, de esta manera, el niño se relaja, lo cual le ayuda a controlar mejor su vejiga. Lo mejor es realizar la sesión antes de ir a dormir. También es importante procurar que el niño beba poco por la noche.

Así se hace

➤ Tome contacto con los pies y empiece con un masaje suave y sensitivo.

➤ Empiece por masajear las zonas de la columna vertebral activándolas con un masaje suave, primero en el pie derecho y luego en el izquierdo. Si localiza una zona dolorosa, aplíquele un masaje sedante –ver página 10–.

➤ Active a continuación las zonas de ambos pulgares correspondientes a la hipófisis. Puede darles masaje simultáneamente.

➤ Masajee suavemente las zonas correspondientes a la vejiga: primero en el pie derecho y luego en el izquierdo. Si localiza una zona que reacciona de forma dolorosa, aplíquele el masaje sedante –ver página 10–.

➤ Masajee de forma algo más enérgica las zonas del esfínter de la vejiga, primero en el pie derecho y luego en el izquierdo. Si se produce una reacción dolorosa, aplique también el masaje sedante –ver página 10–.

➤ Active las zonas correspondientes a las vías linfáticas superiores pinzando suavemente con el pulgar y el índice los pliegues cutáneos situados entre los dedos de los pies.

Zonas linfáticas de la pelvis
Vejiga
Columna vertebral
Esfínter de la vejiga

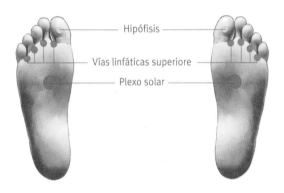

Hipófisis
Vías linfáticas superiore
Plexo solar

➤ Aplique simultáneamente en ambos pies el masaje relajante para las zonas reflejas del plexo solar –ver página 10–. Ejerza una suave presión sobre esas zonas durante algunos minutos y luego suéltelas lentamente.

➤ Para finalizar, friccione ambos pies: hacia arriba por la cara interna y hacia abajo por la externa.

MOLESTIAS DE LA MENOPAUSIA

Durante la menopausia, en el organismo de la mujer se producen importantes cambios hormonales: cesa progresivamente la actividad de los ovarios y se producen menos estrógenos. Y esta relativa falta de estrógenos suele ocasionar efectos tales como cambios de estado de ánimo y sudoración intensa seguida de desagradables escalofríos.

Durante el climaterio la mujer suele mostrarse psíquicamente inestable, a la vez que más nerviosa e irritable que antes. También suele sufrir mareos y alteraciones del sueño, así como sofocos y una cierta inquietud interna.

Aplicar con frecuencia el masaje de las zonas reflejas ayuda mucho a aliviar estos y otros molestos síntomas de la menopausia.

Así se hace

➤ Tome contacto con los pies y empiece el masaje con movimientos suaves y sensitivos.

➤ Masajee las zonas de la columna vertebral, activándolas de forma suave y dinámica: primero en el pie derecho y luego en el izquierdo. Si localiza alguna zona dolorosa, aplíquele solamente el masaje sedante –ver página 10–.

➤ Masajee transversalmente los empeines de los pies activando las zonas de la pelvis y de la cavidad abdominal: primero en el pie derecho y luego en el izquierdo.

➤ Active las zonas de la hipófisis en los pulgares de ambos pies: primero en el izquierdo y luego en el derecho.

➤ Ejerciendo algo más de presión, active las zonas de la pelvis situadas en la parte posterior de la planta de los pies.

➤ Trabaje con suavidad para activar las zonas de los órganos situados en la cavidad de la pelvis: ovarios y útero: primero en el pie derecho y luego en el izquierdo. Empiece por la parte exterior de los tobillos y avance lentamente hacia la interior. Si localiza alguna zona dolorosa, aplíquele solamente un masaje sedante –ver página 10–.

➤ A continuación, aplique simultáneamente en ambos pies el masaje relajante para las zonas reflejas del plexo solar –ver página 10–. Ejerza una ligera presión sobre estas zonas durante algunos minutos, y luego aparte lentamente las manos.

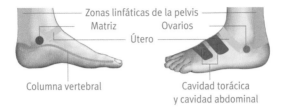

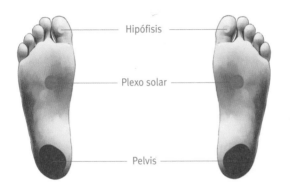

> Masajee las zonas linfáticas de la pelvis y de la cavidad abdominal. Friccione varias veces las piernas suavemente hacia los tobillos: primero la derecha y luego la izquierda –ver página 17–. Procure que la superficie de contacto de sus manos con la piel sea lo más amplia posible.

> Para finalizar, friccione los pies: hacia arriba por el lado interno y hacia abajo por el externo.

PROBLEMAS CIRCULATORIOS Y DE TENSIÓN SANGUÍNEA

Cada vez, más personas padecen problemas circulatorios o de tensión. En los casos de hipertensión, el valor más bajo, el sistólico, es siempre superior a 140mm Hg. Las personas hipertensas suelen sufrir dolores de cabeza, mareos, alteraciones del sueño, estado permanente de irritabilidad y parecen estar siempre «bajo presión».

En la hipotensión, el valor sistólico está siempre por debajo de los 100mm Hg. Las alteraciones de tensión arterial se traducen habitualmente en fatiga, palidez, desgana y falta de rendimiento, así como en dificultad para levantarse por la mañana. También pueden manifestarse síntomas similares a los de la hipertensión, como dolor de cabeza y mareos, pero especialmente abatimiento, gran sensibilidad al cambio de tiempo y una gran necesidad de dormir. Si tiene problemas de tensión, deje que sea siempre el médico quien realice el diagnóstico.

El masaje de las zonas reflejas resulta útil para aliviar los problemas circulatorios, así como los mareos, los cuales se deben principalmente a la sobrecarga del sistema nervioso vegetativo.

ADVERTENCIA

¡En caso de enfermedad cardiovascular grave, no ha de aplicarse el masaje de las zonas reflejas!

Así se hace

➤ Tome contacto con los pies y empiece el masaje con movimientos suaves y sensitivos.
➤ Masajee las zonas de la columna vertebral activándolas de forma suave y dinámica: primero en el pie derecho y luego en el izquierdo. Si localiza zonas dolorosas, aplíqueles solamente el masaje sedante –ver página 10–.
➤ Active las zonas de las vías linfáticas superiores pinzando con el pulgar y el índice los pliegues cutáneos situados entre los dedos de los pies.

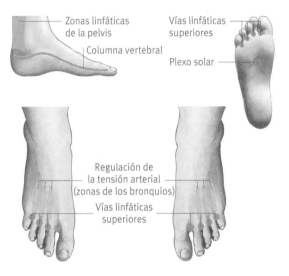

Zonas linfáticas de la pelvis

Columna vertebral

Vías linfáticas superiores

Plexo solar

Regulación de la tensión arterial (zonas de los bronquios)

Vías linfáticas superiores

P

➤ Friccione, seguidamente, en ambos pies las hendiduras situadas entre los huesos del empeine en dirección hacia los dedos. Este masaje armoniza tanto la hipertensión como la hipotensión. Masajee estas zonas durante algunos minutos.

➤ A continuación, aplique el masaje relajante de las zonas reflejas del plexo solar simultáneamente en ambos pies –ver página 10–. Presione suavemente estas zonas durante algunos minutos, y luego aparte lentamente las manos.

➤ Masajee las zonas linfáticas de la pelvis y de la cavidad abdominal, procurando que la superficie de contacto entre la mano y la piel sea lo más amplia posible. Seguidamente, friccione las piernas suave y rítmicamente hacia el tobillo, primero en la derecha y luego en la izquierda –ver página 17–.

➤ Para finalizar, friccione los pies: hacia arriba por el lado interno y hacia abajo por el externo.

PROBLEMAS CUTÁNEOS

La piel es el mayor de nuestros órganos, y además de proteger al organismo también sirve para su contacto con el mundo exterior: tanto para el tacto como para la percepción del dolor, del calor y del frío.

Actualmente, las enfermedades cutáneas son cada vez más frecuentes. La piel reacciona ante los estímulos externos, así como ante la alimentación y el estrés psíquico. Muchas veces, el sistema inmunitario también manifiesta sus deficiencias a través de la piel.

El masaje de las zonas reflejas para los problemas de la piel se concentra en el metabolismo y en la relajación a través del sistema nervioso vegetativo. Si el problema cutáneo está relacionado con una reacción alérgica, como sucede por ejemplo en las alergias por contacto, entonces deberá aplicar los masajes descritos para «reacciones alérgicas» –página 18–.

Así se hace

➤ Tome contacto con los pies y empiece el masaje con movimientos suaves y sensitivos.

➤ Masajee las zonas de la columna vertebral activándolas de forma suave y dinámica, primero en el pie derecho y luego en el izquierdo. Si localiza alguna zona dolorosa, aplique en ella solamente el masaje sedante –ver página 10–.

➤ Active a continuación las zonas de las vías linfáticas superiores pinzando suavemente con el pulgar y el índice los pliegues cutáneos situados entre los dedos de los pies.

➤ Active ahora las zonas del sistema digestivo: la zona del estómago, la del duodeno y la del páncreas, primero en el pie derecho y luego en el izquierdo.
Pase seguidamente a la zona del hígado del pie derecho y a la del bazo del pie izquierdo. Actívelas suavemente. Masajee, durante un poco más de tiempo, estas zonas.
En las zonas dolorosas, sólo se debe aplicar el masaje sedante.

➤ A continuación, aplique el masaje relajante del plexo solar simultáneamente en ambos pies –ver página 10–. Ejerza una suave presión en estas zonas durante algunos minutos, y luego suéltelas lentamente.

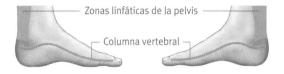

Zonas linfáticas de la pelvis

Columna vertebral

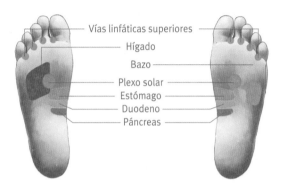

Vías linfáticas superiores

Hígado

Bazo

Plexo solar

Estómago

Duodeno

Páncreas

P

➤ Masajee las zonas linfáticas de la pelvis y de la cavidad abdominal. Friccione varias veces las piernas, suave y rítmicamente hacia los tobillos, primero la derecha y luego la izquierda –ver página 17–. Procure que la superficie de contacto entre la mano y la piel sea bastante amplia.

➤ Para finalizar, friccione los pies: hacia arriba por la cara interna y hacia abajo por la externa.

PROBLEMAS DE PRÓSTATA

La próstata está situada debajo de la vejiga urinaria y junto al principio de las vías urinarias del hombre. Tiene la forma de una castaña algo grande. El lóbulo central puede engrosarse con la edad debido a los procesos hormonales y llega a oprimir las vías urinarias. Este aumento de tamaño de la próstata se produce en aproximadamente la mitad de los hombres de más de 50 años de edad.

Si llegan bacterias por las vías urinarias o a través de los vasos sanguíneos a la próstata, ésta puede llegar a infectarse. Síntomas de esta infección son un aumento de las ganas de orinar, dolor al orinar y al defecar, fiebre y trazas de sangre en la orina. El masaje de las zonas reflejas ayuda a regularizar el aporte energético a toda la cavidad pélvica.

ADVERTENCIA

¡Si nota algún problema de próstata, acuda sin falta a su médico!

Así se hace

➤ Tome contacto con los pies y empiece el masaje con movimientos suaves y sensitivos.

➤ Masajee las zonas de la columna vertebral, activándolas de forma suave y dinámica: primero en el pie derecho y luego en el izquierdo. Si localiza una zona dolorosa, aplíquele solamente el masaje sedante –ver página 10–.

➤ Active luego con suavidad las zonas de los riñones y de la vejiga: primero en el pie derecho y luego en el izquierdo. Si alguna zona le produce dolores, aplíquele de nuevo el masaje sedante.

➤ Active la zona de la hipófisis y, ejerciendo algo más de presión, las zonas de la pelvis en el talón.

➤ Trabaje, seguidamente, las zonas de los órganos de la cavidad pélvica aplicándoles un masaje suave y sedante: testículos y próstata, así como la conexión entre ambas zonas. Empiece por la cara externa de los tobillos y avance lentamente en dirección a la interna.
Si alguna zona reacciona de forma dolorosa, sédela hasta que el dolor desaparezca por completo.

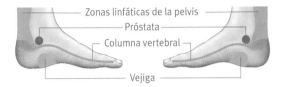

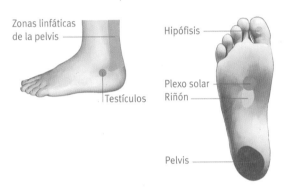

➤ Aplique un masaje relajante simultáneamente en las zonas reflejas del plexo solar en ambos pies, primero en el derecho y luego en el izquierdo –ver la página 10–. Mantenga una ligera presión sobre estas zonas durante algunos minutos, y luego aparte lentamente las manos.

➤ Masajee las zonas de la pelvis y de la cavidad abdominal procurando mantener una amplia superficie de contacto entre las manos y la piel. Friccione varias veces las piernas de forma suave y rítmica hacia el tobillo, primero la derecha y luego la izquierda –ver la página 17–.

➤ Para finalizar, friccione los pies: hacia arriba por el lado interno y hacia abajo por el externo.

PROBLEMAS DE VEJIGA

Los problemas de vejiga resultan muy molestos y desagradables en la vida cotidiana. La necesidad imperiosa de orinar, la incontinencia urinaria y el dolor al orinar pueden ser síntomas de una cistitis. Consulte a su médico.

El masaje de las zonas reflejas favorece el funcionamiento del esfínter de la vejiga y ayuda a la limpieza de las vías urinarias. En caso de problemas de vejiga, inicie inmediatamente las sesiones de masajes y beba aproximadamente un litro de agua media hora antes de empezar. Así favorecerá la limpieza de la vejiga.

En caso de cistitis y/o nefritis, el masaje de las zonas reflejas puede ser un buen complemento para el tratamiento médico.

Así se hace

➤ Empiece con un masaje suave y sensitivo.

➤ Masajee las zonas correspondientes a la columna vertebral activándolas suavemente, primero en el pie derecho y luego en el izquierdo. Si localiza una zona dolorosa, aplique el masaje sedante en ella –ver página 10–.

➤ Active, a continuación, las zonas de los pulgares de los pies correspondientes a la hipófisis.

➤ Aplique un masaje suave en las zonas de los riñones y la vejiga, primero en el pie derecho y luego en el izquierdo. Si localiza una zona dolorosa, aplique el masaje sedante –ver página 10–.

➤ En caso de pérdidas de orina, active la zona de la vejiga y la del esfínter de la vejiga.

➤ En caso de retención de orina, active la zona de la vejiga y aplique un masaje sedante en la zona del esfínter de la vejiga para eliminar la tensión y el agarrotamiento.

➤ Active seguidamente las zonas de las vías linfáticas superiores pinzando suavemente con el pulgar y el índice los pliegues cutáneos situados entre los dedos de los pies.

➤ Masajee, a continuación, las zonas linfáticas de la pelvis y la cavidad abdominal aplicando la mano sobre una zona amplia. Friccione varias veces rítmicamente desde la pierna hacia el tobillo, primero en la derecha y luego en la izquierda –ver página 17–.

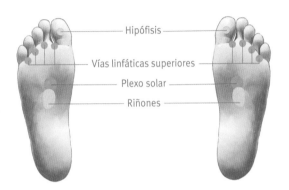

> Aplique simultáneamente un masaje relajante en las zonas de ambos pies correspondientes al plexo solar –ver página 10–. Mantenga durante unos minutos una presión suave sobre esas zonas y luego suéltelas lentamente.

> Para finalizar, friccione ambos pies: hacia arriba por la cara interna y hacia abajo por la externa.

PROBLEMAS DIGESTIVOS

Existen muchos tipos de problemas digestivos. Mientras la digestión funcione correctamente, es normal defecar una vez al día. Si se produce estreñimiento, su origen puede estar en una dieta incorrecta, un mal funcionamiento del intestino o incluso en problemas psíquicos. Pero lo más importante es hacer ejercicio: ¡al intestino le gusta el movimiento!

Si tiene diarreas como consecuencia de una enfermedad infecciosa, será necesario que vaya a su médico lo antes posible. Pero, a veces, la diarrea no es más que un mecanismo de autolimpieza del organismo. En tal caso, no deberá intentar frenarla inmediatamente con fármacos, pastillas de carbón activo o productos similares. Beba gran cantidad de agua mineral, infusiones de hierbas o bebidas electrolíticas –de venta en farmacias– para restablecer el equilibrio electrolítico de su organismo.

El masaje de las zonas reflejas puede ser de gran ayuda para combatir el estreñimiento mediante los impulsos de las zonas del intestino. En caso de diarreas ligeras, también activa las zonas del intestino para que se regeneren mejor las mucosas intestinales.

Así se hace

➤ Tome contacto con los pies y empiece el masaje con movimientos suaves y sensitivos.

➤ Masajee las zonas de la columna vertebral, activándolas de forma suave y dinámica, primero en el pie derecho y luego en el izquierdo. Si alguna zona le produce dolor, apliquele el masaje sedante –ver página 10–.

➤ Masajee, a continuación, las zonas del estómago, del duodeno y del páncreas, primero en el pie derecho y luego en el izquierdo. Si alguna zona le produce dolor, sédela.

➤ Active las zonas del hígado y de la vesícula en el pie derecho, y la del bazo en el izquierdo. Si alguna zona le produce dolor, sédela.

➤ Masajee las zonas del duodeno, intestino grueso, recto y ano: primero en el pié derecho y luego en el izquierdo. Aplique un masaje sedante en las zonas que produzcan dolor.

➤ A continuación aplique, simultáneamente en ambos pies, el masaje relajante para las zonas reflejas del plexo solar –ver página 10–. Pre-

Zonas linfáticas de la pelvis
Columna vertebral
Ano   Recto

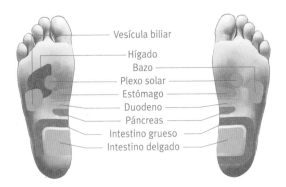

Vesícula biliar
Hígado
Bazo
Plexo solar
Estómago
Duodeno
Páncreas
Intestino grueso
Intestino delgado

P

sione suavemente sobre esa zona durante algunos minutos, y luego aparte lentamente las manos.

➤ Masajee las zonas linfáticas de la pelvis y de la cavidad abdominal. Friccione algunas veces las piernas suavemente hacia los tobillos: primero en la derecha y luego en la izquierda –ver página 17–. Procure que la superficie de contacto de sus manos con la piel sea lo más amplia posible.

➤ Para finalizar, friccione sus pies: hacia arriba por el lado interno y hacia abajo por el externo.

PROBLEMAS GASTROINTESTINALES

Comer mal o consumir alimentos inadecuados puede producir dolor de estómago, acidez o diarrea. Las comidas excesivas, los alimentos demasiado calientes o demasiado fríos y el exceso de alcohol o de dulces pueden irritar las mucosas del estómago. A mucha gente también se le manifiestan en el estómago los estados de nerviosismo o de ansiedad. La mayoría de dolencias gastrointestinales se manifiestan mediante dolores en la parte superior del vientre, sensación de plenitud, presión en el estómago y náuseas.

Si sufre dolores gástricos de origen desconocido, produce heces sanguinolentas o tiene diarreas durante mucho tiempo, vaya sin falta a su médico.

Para aliviar cualquier tipo de molestia gastrointestinal, resulta muy útil empezar por eliminar el estrés. Además del masaje de las zonas reflejas también resultan muy útiles las técnicas de relajación tales como el masaje autógeno. De esta manera, se regulariza la actividad de las glándulas de la mucosa gástrica y mejoran los movimientos intestinales.

Así se hace

> Tome contacto con los pies y empiece el masaje con movimientos suaves y sensitivos.
> Masajee las zonas de la columna vertebral, activándolas de forma suave y dinámica: primero en el pie derecho y luego en el izquierdo. Si localiza alguna zona dolorosa, aplique en ella solamente el masaje sedante –ver página 10–.
> Masajee las zonas del estómago, del duodeno y del páncreas, primero en el pie derecho y luego en el izquierdo. Si alguna zona le produce dolor, sédela –ver página 10–.
> Active las zonas del hígado y de la vesícula biliar en el pie derecho, y luego la del bazo en el pie izquierdo. Si alguna zona produce dolor, aplíquele el masaje sedante.
> Masajee, seguidamente, las zonas del intestino delgado, del intestino grueso, del recto y del ano, primero en el pie derecho y luego en el izquierdo. Aplique un masaje sedante en las zonas que le duelan.
> A continuación aplique, en ambos pies a la vez, el masaje relajante para las zonas del plexo solar –ver página 10–. Ejerza una ligera pre-

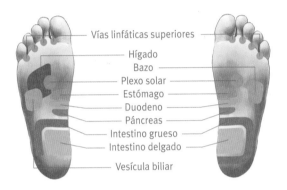

sión sobre esas zonas durante algunos minutos, y luego aparte lentamente las manos.

➤ Masajee las zonas linfáticas de la pelvis y de la cavidad abdominal. Friccione las piernas varias veces suave y rítmicamente hacia los tobillos, primero la derecha y luego la izquierda –ver página 17–. Procure que la superficie de contacto de sus manos con la piel sea lo más amplia posible

➤ Para finalizar, friccione los pies: hacia arriba por cara interna y hacia abajo por la externa.

PROBLEMAS OCULARES

Los ojos están sometidos a un constante esfuerzo durante todo el día. Trabajar con el ordenador, con luz artificial, ver la televisión varias horas al día, conducir con mala visibilidad, sustancias irritantes presentes en el aire –todos estos factores irritan los ojos y contribuyen a cansar la vista–. Entonces, los ojos se enrojecen y aumenta la secreción lacrimal.

El número de personas con los ojos irritados y llorosos es cada vez mayor. En muchos lugares, el aire está demasiado caliente y lleno de partículas de polvo, aroma y humo de tabaco que se distribuyen mediante los sistemas de ventilación o de aire acondicionado.

Concédales a sus ojos una relajación de vez en cuando: concentre la vista en un punto lejano durante dos minutos varias veces al día. El masaje de las zonas reflejas también puede ayudarle a regenerar sus ojos.

ADVERTENCIA

Si tiene miopía, intensifique el masaje en el segundo dedo de cada pie durante unos tres minutos; si tiene astigmatismo, hágalo en el tercero.

Así se hace

➤ Tome contacto con los pies e inicie el masaje con movimientos suaves y sensitivos.

➤ Empiece por masajear las zonas de la columna vertebral. Actívelas suave y dinámicamente, primero en el pie derecho y luego en el izquierdo. Si localiza una zona dolorosa, aplíquele un masaje sedante –ver página 10–.

➤ Active suavemente todas las zonas correspondientes a la cabeza. Si nota los ojos cansados por mirar con detenimiento o por fatiga, entonces active las zonas correspondientes a ellos durante más tiempo y con mayor intensidad.
Si tiene alguna infección en la región ocular, masajéese las zonas correspondientes solamente de forma sedante –ver página 10–.

➤ Active las zonas correspondientes a las vías linfáticas superiores pinzando suavemente con el pulgar y el índice los pliegues cutáneos situados entre los dedos de ambos pies.

Zonas linfáticas de la cadera

Columna vertebral

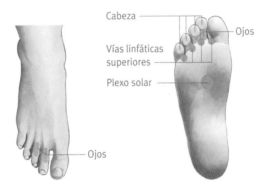

Cabeza

Ojos

Vías linfáticas superiores

Plexo solar

Ojos

P

> Masajee las zonas linfáticas de la pelvis y de la cavidad abdominal procurando que la mano establezca un amplio contacto con el pie. A continuación, friccione varias veces suave y rítmicamente desde la pierna hasta el tobillo, primero el pie derecho y luego el izquierdo. –ver página 17–.

> Aplique simultáneamente en ambos pies el masaje relajante para las zonas reflejas del plexo solar –ver página 10–. Mantenga una ligera presión sobre esas zonas durante algunos minutos y luego suéltelas lentamente.

> Para finalizar, friccione ambos pies: hacia arriba por la parte interna y hacia abajo por la externa.

REACCIONES ALÉRGICAS

La alergia es una reacción de hipersensibilidad del organismo ante un elemento externo.

En los casos de alergia, el masaje de las zonas reflejas puede ser de gran ayuda para complementar el tratamiento médico específico. Los masajes que veremos a continuación se pueden aplicar ante cualquier tipo de reacción alérgica –tanto si afecta a la piel, a las mucosas o a los ojos–. Aplique el masaje regularmente tres veces por semana. Si usted tiene alergia a las flores o al polen, empiece los masajes unas cuatro semanas antes de la época en la que suele manifestarse su reacción alérgica. De esta manera, la alergia le resultará mucho menos molesta.

Así se hace

➤ Tome contacto con los pies y empiece el masaje con movimientos suaves.

➤ Frote seguidamente las zonas correspondientes a la columna vertebral activándolas de forma suave y dinámica: primero en el pie derecho y luego en el izquierdo. Si localiza una zona dolorida, aplíquele un masaje sedante –ver página 10–.

➤ Masajee las zonas de los pulgares correspondientes a la hipófisis: primero dos minutos en el derecho y luego otros dos en el izquierdo. A veces, esta zona es sensible a la presión que se ejerce sobre ella, pero hay que trabajarla con energía.

➤ Estimule las zonas correspondientes a las vías linfáticas superiores masajeando suavemente con el pulgar y el índice –masaje en pinza– cada uno de los pliegues cutáneos que hay entre los dedos de los pies.

➤ Seguidamente, dé un masaje algo más enérgico en las zonas correspondientes a las cápsulas suprarrenales presionando rítmicamente el tejido con la punta de la yema del pulgar. Estimule cada pie durante un minuto, pero sin llegar al umbral del dolor.

➤ A continuación, masajee las zonas linfáticas de la pelvis y la cavidad abdominal. Frote algunas veces suave y rítmicamente desde la pierna hacia el tobillo, primero en el pie derecho y luego en el izquierdo –ver página 17–. Procure que sus manos establezcan un contacto muy amplio con el pie.

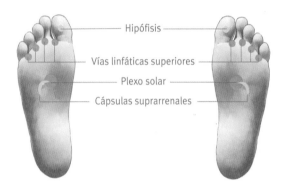

➤ Dé un masaje de relajación en ambos pies simultáneamente en las zonas reflejas del plexo solar –ver página 10–. Mantenga una ligera presión sobre estas zonas durante algunos minutos y luego suéltelas lentamente.

➤ Para finalizar, friccione ambos pies siguiendo la parte interna hacia arriba y la externa hacia abajo.

REFORZAR EL SISTEMA INMUNITARIO

El sistema inmunitario nos proporciona defensas para combatir los ataques víricos y bacterianos a los que nuestro organismo está sometido constantemente, y que podrían causar enfermedades. Si el sistema inmunitario se debilita, pierde esta capacidad y pueden producirse reacciones de hipersensibilidad como las alergias –ver página 17–.

Hay muchos aspectos del sistema inmunitario que todavía plantean incógnitas, pero no hay duda de que el estrés lo debilita notablemente.

El masaje de las zonas reflejas puede ayudarle a fortalecerlo, aumentando las defensas, con lo que su organismo será más resistente a los agentes patógenos. Como entrenamiento básico para fortalecer su sistema inmunitario, realice esta sesión de masajes una vez a la semana durante tres meses.

Así se hace:

➤ Tome contacto con los pies y empiece el masaje con movimientos suaves y sensitivos.

➤ Masajee las zonas de la columna vertebral de forma suave y dinámica: primero en el pie derecho y luego en el izquierdo. Si localiza alguna zona dolorosa, aplique en ella solamente el masaje sedante –ver página 10–.

➤ Active las zonas de la hipófisis en los pulgares de ambos pies, así como las zonas de la cabeza en ambos meñiques.

➤ Masajee las zonas de las vías linfáticas superiores pinzando suavemente con el pulgar y el índice los pliegues cutáneos situados entre los dedos de los pies.

➤ Active, seguidamente, las zonas de la tiroides, las suprarrenales y el páncreas, primero en el pie derecho y luego en el izquierdo. Active, a continuación, la zona del hígado en el pie derecho y la zona del bazo en el pie izquierdo.

➤ Active suavemente las zonas de los riñones y de la vejiga, primero en el pie derecho y luego en el izquierdo. Active luego las zonas del intestino. Si localiza una zona dolorosa, aplíquele solamente el masaje sedante –ver página 10–.

➤ Masajee simultáneamente ambos pies, ejerciendo una presión suave

Zonas linfáticas de la pelvis
Vejiga
Columna vertebral

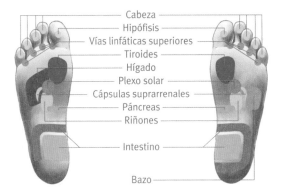

Cabeza
Hipófisis
Vías linfáticas superiores
Tiroides
Hígado
Plexo solar
Cápsulas suprarrenales
Páncreas
Riñones
Intestino
Bazo

R

sobre las zonas reflejas del plexo solar para obtener un efecto relajante –ver página 10–.

> Masajee las zonas linfáticas de la pelvis y de la cavidad abdominal, procurando que las superficie de contacto de la mano sobre la piel sea lo más amplia posible. Masajee las piernas rítmicamente varias veces hacia los tobillos, primero el derecho y luego el izquierdo –ver página 17–.

> Para finalizar, friccione los pies: hacia arriba por el lado interno y hacia abajo por el externo.

RESFRIADO E INFECCIÓN GRIPAL

Los resfriados y las infecciones gripales leves suelen producirse cuando el organismo está bajo de defensas. Y esta carencia no puede compensarse si el organismo y el sistema inmunitario no disponen de suficientes reservas energéticas. Si entonces se está en contacto con mucha gente, es fácil infectarse con una de las más de 200 especies de virus y contraer un resfriado o una gripe. Los primeros síntomas de la enfermedad suelen ser escalofríos, ronquera, temblores, tos, dolor de garganta y algo de fiebre. Lo mejor es mantenerse apartado de las concentraciones de gente durante las típicas épocas en que todo el mundo se resfría.

Si cree que está resfriado o que está iniciando un proceso gripal, emplee el masaje de las zonas reflejas para estimular su sistema inmunitario –ver página 80–.

ADVERTENCIA

¡Si la fiebre es alta no hay que dar masaje en las zonas reflejas!

Así se hace

- ➤ Tome contacto con los pies e inicie el masaje con movimientos suaves y sensitivos.
- ➤ Masajee seguidamente las zonas de la columna vertebral activándolas de forma suave y dinámica: primero en el pie derecho y luego en el izquierdo. Si localiza una zona dolorosa, aplíquele el masaje sedante –ver página 10–.
- ➤ Active las zonas de la boca, la nariz y la garganta en los pulgares de ambos pies, primero el derecho y luego el izquierdo, para estimular las mucosas y aumentar su secreción.
- ➤ Estimule activamente las zonas de la cabeza, primero en el pie derecho y luego en el izquierdo.
- ➤ Masajee a continuación las zonas de las vías linfáticas superiores pinzando suavemente con el pulgar y el índice los pliegues cutáneos situados entre los dedos de los pies.
- ➤ Active suavemente las zonas de los pulmones, así como las de las vías respiratorias y de los bronquios. ¡Pero si tiene una tos muy fuerte

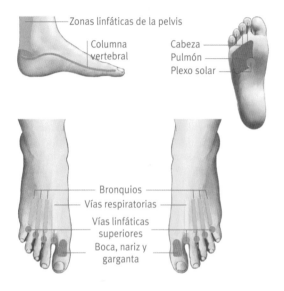

Zonas linfáticas de la pelvis
Columna vertebral
Cabeza
Pulmón
Plexo solar

Bronquios
Vías respiratorias
Vías linfáticas superiores
Boca, nariz y garganta

R

o nota dolor en el pecho, solamente deberá aplicar un masaje sedante!

➤ Aplique simultáneamente en ambos pies el masaje relajante en las zonas reflejas del plexo solar –ver página 10–. Ejerza una suave presión sobre estas zonas durante algunos minutos y luego suéltelas lentamente.

➤ Masajee las zonas linfáticas de la pelvis y la cavidad abdominal. Friccione algunas veces rítmicamente la pierna hacia el tobillo: primero el derecho y luego el izquierdo –ver página 17–.

➤ Para finalizar, friccione ambos pies: hacia arriba por el lado interno y hacia abajo por el externo.

RESFRIADO Y TOS

Los resfriados y la tos suelen empezar con una irritación de las mucosas de la cavidad bucal, de las fosas nasales y de la garganta. Esta irritación inicial puede dar lugar a una infección que a su vez se extienda hasta los senos paranasales. Si este es su caso, ¡vaya al médico!

Los resfriados y la tos pueden tener muchas causas, incluyendo infecciones víricas y reacciones alérgicas.

A veces, sólo nos sentimos un poco «irritables» y con ganas de «cantarle las cuarenta» a alguien. Este estado de ánimo, unido a una bajada de defensas, también puede influir en el malestar.

Si aplica el masaje de las zonas reflejas ya desde los primeros síntomas, podrá reforzar a tiempo el sistema inmunitario, y el resfriado o la tos no llegarán a agravarse más.

Si existe un origen alérgico, emplee los masajes descritos para «reacciones alérgicas» en la página 78.

Así se hace

➤ Tome contacto con los pies y empiece el masaje con movimientos suaves y sensitivos.

➤ Masajee las zonas de la columna vertebral activándolas de forma suave y dinámica: primero en el pie derecho y luego en el izquierdo. Si localiza una zona dolorosa, aplique solamente el masaje sedante –ver página 10–.

➤ Active seguidamente las zonas de la cabeza en los dedos de los pies: primero en el derecho y luego en el izquierdo.

➤ Active, en los pulgares de ambos pies, las zonas de la boca, de la nariz y de la garganta para estimular las mucosas y favorecer la secreción de mucosidad. Si el resfriado o la tos son muy fuertes, aplique un masaje sedante en estas zonas.

➤ Active suavemente las zonas de los bronquios en las hendiduras del empeine.

➤ Masajee las zonas de las vías linfáticas superiores pinzando suavemente con el pulgar y el índice los pliegues cutáneos que hay entre los dedos de los pies.

➤ Aplique, simultáneamente en ambos pies, el masaje relajante para las zonas reflejas del plexo solar –ver página 10–. Mantenga una

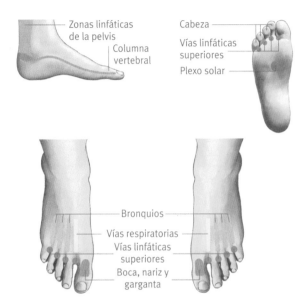

Zonas linfáticas de la pelvis
Columna vertebral
Cabeza
Vías linfáticas superiores
Plexo solar
Bronquios
Vías respiratorias
Vías linfáticas superiores
Boca, nariz y garganta

R

suave presión sobre estas zonas durante algunos minutos, y luego aparte lentamente las manos.

➤ Masajee las zonas linfáticas de la pelvis y la cavidad abdominal procurando que la superficie de contacto entre la mano y la piel sea lo más amplia posible. Friccione varias veces las piernas suavemente hacia el tobillo: primero la derecha y luego la izquierda.

➤ Para finalizar, friccione los pies: hacia arriba por el lado interno y hacia abajo por el externo.

RETENCIONES DE LINFA

El sistema linfático forma parte del sistema inmunitario y está extendido por todo el cuerpo. Los vasos linfáticos discurren paralelos a las venas en los ganglios linfáticos, y de allí parten en forma de grandes vasos por los que discurre la linfa, un fluido que contiene partículas y células del propio sistema inmunitario. En la linfa, tiene lugar el intercambio de sustancias entre la sangre y aquellas células a las que no llega el torrente sanguíneo. De este modo, el sistema linfático transporta los nutrientes lipídicos del intestino y elimina el exceso de fluidos que se acumulan en los espacios intercelulares. Filtra microorganismos patógenos y produce leucocitos y anticuerpos.

El masaje de las zonas reflejas contribuye a activar el sistema linfático, y ayuda a limpiar y desintoxicar todo el organismo.

Así se hace

➤ Tome contacto con los pies y empiece el masaje con movimientos suaves y sensitivos.

➤ Masajee las zonas de la columna vertebral y actívelas de forma suave y dinámica: primero en el pie derecho y luego en el izquierdo. Si localiza alguna zona dolorosa, aplíquele solamente el masaje sedante –ver página 10–.

➤ Active las zonas de las vías linfáticas superiores durante un tiempo algo más prolongado pinzando suavemente con el pulgar y el índice los pliegues cutáneos situados entre los dedos de los pies.

➤ Active suavemente la zona del bazo en el pie izquierdo.

➤ Active seguidamente las zonas de los riñones y de la vejiga: primero en el pie derecho y luego en el izquierdo. Si alguna zona reacciona de forma dolorosa, aplíquele el masaje sedante hasta que el dolor desaparezca por completo.

➤ A continuación, aplique simultáneamente en ambos pies el masaje relajante para las zonas reflejas del plexo solar –ver página 10–. Mantenga una ligera presión sobre esas zonas durante algunos minutos. Aumente suavemente la presión cuando la persona inspire, y disminúyala cuando espire. Luego, aparte lentamente las manos.

➤ Masajee las zonas linfáticas de la pelvis y de la cavidad abdominal. Friccione suavemente las piernas varias veces en dirección a los to-

Zonas linfáticas de la pelvis
Vejiga
Columna vertebral

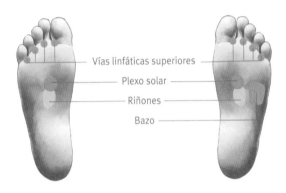

Vías linfáticas superiores
Plexo solar
Riñones
Bazo

R

billos, primero la derecha y luego la izquierda –ver página 17–. Procure que la superficie de contacto de sus manos con la piel sea lo más extensa posible.

➤ Para finalizar, friccione los pies: hacia arriba por el lado interior y hacia abajo por el exterior.

VARICES

Las varices son venas superficiales que suelen estar en zonas determinadas y que han dejado de ser funcionales. Se las aprecia bajo la piel como venas engrosadas y alargadas. Cuando una persona permanece mucho tiempo sentada o de pie, somete sus venas a un exceso de presión que hace que estas se dilaten y que se produzcan retenciones de sangre. Al principio, las venas varicosas apenas se ven y son más bien un problema estético. Pero, en un estado más avanzado, pueden producir una sensación de pesadez en las piernas, y las varices llegan a ser muy dolorosas.

El masaje de las zonas reflejas ayuda a aliviar los dolores y la sensación de pesadez.

Así se hace

➤ Tome contacto con los pies y empiece el masaje con movimientos suaves y sensitivos.

➤ Masajee, seguidamente, las zonas de la columna vertebral, activándolas de forma suave y dinámica: primero en el pie derecho y luego en el izquierdo. Si localiza alguna zona dolorosa, aplique sobre ella solamente el masaje sedante –ver página 10–.

➤ Trabaje, a continuación, las zonas de las vías linfáticas superiores pinzando suavemente con el pulgar y el índice los pliegues cutáneos situados entre los dedos de los pies.

➤ Active la zona del corazón en el pie izquierdo empleando movimientos suaves y dinámicos. A continuación, active la zona del hígado en el pie derecho. Aumente un poco la presión con la punta del pulgar, y trabaje un poco más profundamente la zona de la vesícula situada en la planta del pie.
Si estas zonas producen dolor, aplíqueles solamente el masaje sedante.

➤ Active las zonas de la pelvis en ambos talones, primero en el pie derecho y luego en el izquierdo. Trabaje a fondo los talones ejerciendo presión con fuerza y turnando los pulgares.

➤ Seguidamente, aplique simultáneamente un masaje relajante en las zonas del plexo solar de ambos pies. Friccione varias veces ambas piernas con suavidad hacia los tobillos, primero la derecha y luego la

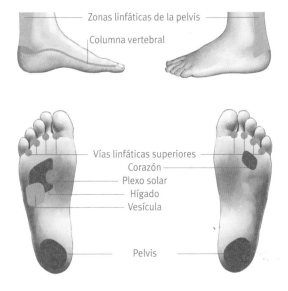

Zonas linfáticas de la pelvis

Columna vertebral

Vías linfáticas superiores
Corazón
Plexo solar
Hígado
Vesícula

Pelvis

izquierda –ver página 17–. Procure que la superficie de contacto de las manos con la piel sea lo más amplia posible.

➤ Para finalizar, friccione los pies: hacia arriba por el lado interno y hacia abajo por el externo.

REPRESENTACIÓN ZONAL

LAS ZONAS REFLEJAS DE LOS PIES

Plantas de los pies derecho e izquierdo (1)

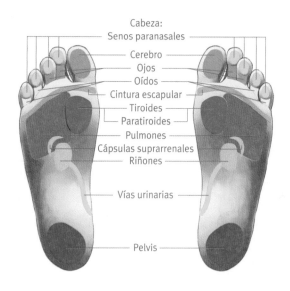

Cabeza:
Senos paranasales
Cerebro
Ojos
Oídos
Cintura escapular
Tiroides
Paratiroides
Pulmones
Cápsulas suprarrenales
Riñones
Vías urinarias
Pelvis

Plantas de los pies derecho e izquierdo (2)

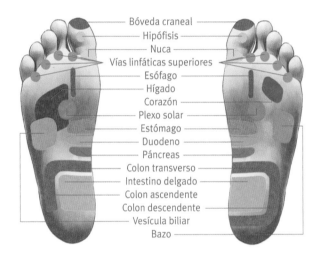

Bóveda craneal
Hipófisis
Nuca
Vías linfáticas superiores
Esófago
Hígado
Corazón
Plexo solar
Estómago
Duodeno
Páncreas
Colon transverso
Intestino delgado
Colon ascendente
Colon descendente
Vesícula biliar
Bazo

Empeines de los pies derecho e izquierdo

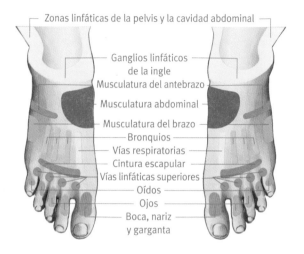

Zonas linfáticas de la pelvis y la cavidad abdominal

Ganglios linfáticos
de la ingle

Musculatura del antebrazo

Musculatura abdominal

Musculatura del brazo

Bronquios

Vías respiratorias

Cintura escapular

Vías linfáticas superiores

Oídos

Ojos

Boca, nariz
y garganta

Cara interna y externa del pie

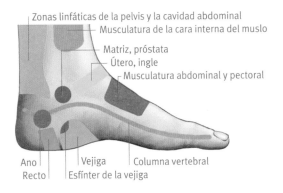

Zonas linfáticas de la pelvis y la cavidad abdominal
Musculatura de la cara interna del muslo
Matriz, próstata
Útero, ingle
Musculatura abdominal y pectoral

Ano · Vejiga · Columna vertebral
Recto · Esfínter de la vejiga

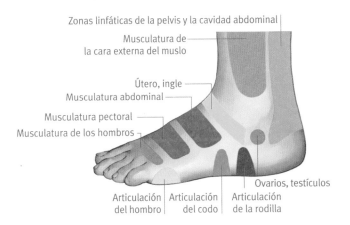

Zonas linfáticas de la pelvis y la cavidad abdominal
Musculatura de la cara externa del muslo
Útero, ingle
Musculatura abdominal
Musculatura pectoral
Musculatura de los hombros
Ovarios, testículos
Articulación del hombro · Articulación del codo · Articulación de la rodilla

ÍNDICE ALFABÉTICO

ÍNDICE ALFABÉTICO

Título de la edición original:
Reflexzonen Massage

Es propiedad, 2006
© **Gräfe und Unzer GmbH (Munich)**

© de la edición en castellano 2009:
Editorial Hispano Europea, S. A.
Primer de Maig, 21 – Pol. Ind. Gran Via Sud
08908 L'Hospitalet – Barcelona (España)
E–mail: hispanoeuropea@hispanoeuropea.com

© de la traducción: **Enrique Dauner**

Depósito Legal: B. 31248–2009

ISBN: 978–84–255–1827–0

Tercera edición

Dr. Franz Wagner (PhD, Columbia P. University) Catedrático adjunto en la Universidad de Linz –campos de salud, medicina y comunicación–; estudios en Linz, Salzburgo y en la Columbia P. University, EE.UU.; formación en terapias naturales; profesor en academias para la formación de terapeutas; profesor en escuelas superiores; conferenciante tanto en Austria como en el extranjero; miembro del International Council of Reflexologists, EE.UU.; director de la Akademie für Beratung und Coaching, Linz; director de la Academy of Reflexology, Austria; autor de diversas guías de reflexología y acupresión.

Consulte nuestra web:
www.hispanoeuropea.com